在人世间，不管怎么折腾，

仅仅做个好人很危险，

仅仅做个有心机的人也很危险，

仅仅做个没有觉察的人，还很危险。

愿我们每个人都活成一个慈悲跟智慧永远并行的凡人。

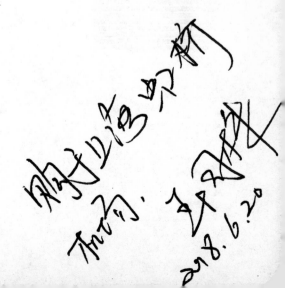

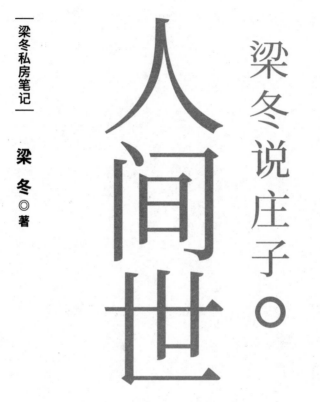

梁冬私房笔记

梁　冬◎著

梁冬说庄子○

人间世

江西科学技术出版社

世界因你而变

"人间世"是一个很有趣的剧场

我们为什么要学习《人间世》？

"人间世"是什么呢？其实，人间世是一个很有趣的剧场，不停上演着一出出很复杂的剧情，总是在反转，而我们有幸都是活在这里面的演员。

年青时，如果我读过《人间世》的第一个故事，那就好了。想当年，我怀着一颗特别热情的心加入一家互联网公司，作为一个空降的VP（副总裁），对传媒有理想，心怀天下，觉得自己想做点儿事情。

刚开始的时候，我的动机很单纯，不为名——为名的话，还不如在凤凰卫视；不为利——起码当时看不出来能有多少钱，只是直觉地认为有一个机会去实现自己的理想，于是就去了。结果，我在职场里心力交瘁。

一开始，我还总觉得是别人的错。经过十年的沉淀之后，我终于意识到，这全是自己的问题。所以，今天如果我再有机会去任何一家公司打工的话，我可能不会伤害别人，也不会那么容易让别人伤到自己，还能够把一件事情做得比较善巧方便（随顺机宜而施设的巧妙智用），与别人方便的同时，也给自己方便，在不作、不痛苦、不愤怒、不抱怨的情况下，缓缓地把事情做成。

读完《庄子》，我发现，我们每个人都被某种奇奇怪怪的方式扔到某个时空里，其中最大的时空就是"从娘胎里被扔出来的那一刻直到离开世界的那一刻"。

其实，在这个大时空里面还有很多小时空。比如，我们大概平均三到五年就有一次新的变化——工作单位变了，有时候还会到一个新的城市；会进入一个新的家庭——从原生家庭进入和自己的配偶共同组建的家庭。之后，你还可能加入不同的社群组织，比如一些微信群、论坛，等等。其实就是被丢进了一个个新的小时空中。

时空对于我们来说，体现的是人和人的互动，而我们很难真正理解时空对我们的影响。所以，我们常常说，**最大的快乐莫过于旁边的人让你舒服，最大的痛苦也莫过于旁边的人让你痛苦。**

你与人沟通的模式，决定了你生存的环境

在人间世里，当我们一次次被扔进不同的时空之后，如果心智模式和沟通模式没有改变的话，你会发现自己正一遍一遍地落入同一个族群——小时空当中。你以为去了一个新团体，结果却总是到了一个旧朋友圈。很快你就会发现，曾经在别的朋友圈里折磨过你的人，在新的朋友圈里面又会有一个差不多的人以类似的方式折磨你；你在别的朋友圈里喜欢的人，在新的群里还是找这样的人去喜欢——老出现这种事就怪不得别人了。

这其实就是，你的心智模式、你与人沟通的模式，决定了你生存的环境。我们以为环境影响着我们，其实环境都差不多，我们一直都是在创造一个自己所看到的环境。

在同一个环境、同一个群落里面，总有一些人活得很快乐，总有一些人活得很郁闷。这只能说明，外在环境好像是变化的，其实是虚幻的，只有我们内在的那一颗与别人相处的心，才决定了外在是一个什么样的世界。

现在，大家都在讲阳明心学，阳明心学的核心就是，世界因你而变，这句话展开来讲就是，世界因你的心智模式而呈现出不同的样子。

一个人情商的高低，本质上就是他能否随时切换自己看世界的角度。而这种能力是可以经由觉察和训练来获得的——我们为什么不能像训练我们的肌肉那样，训练我们以不同视角看世界的能力呢？

任何世道都很艰难，人心都很叵测

任何世道都很艰难，人心都很叵测，自有其险恶的一面，在承认这种无常的前提下，我们如何来训练并建构自己的心智模式，是一件非常重要的事。

我们可以先做一个训练，把自己内心特别不喜欢的人的名字列出来，然后扪心自问："他们真的有那么讨厌吗？"

也就是说，我们每个人在心里都有一些自己不喜欢的人、妒忌的人和羡慕的人。然后，你还会发现，为什么自己在内心里觉得如果还有一些人活得不那么好，或者他们的身上突然出问题的时候，会隐隐地产生连自己都不好意思承认的小幸福感？

你不需要告诉任何人上述想法，只需要问自己是否承认。如果你承认自己有一些阴暗的心理，那么别人为什么不能有？

你再扪心自问第二个问题："自己还算是个好人吗？"

于是，这两个问题就形成很有趣的逻辑，大部分人觉得自己是好人而"横行于世"的时候，为什么都觉得自己屡屡受挫？因为我们对自己不诚实，我们有意无意活在了自我的暗示中——"我还是一个相当不错的人""我是个好人"。

认为自己"我还是一个相当不错的人""我是个好人"，这其实是我慢。但是，关起门来想一想，我们又不得不承认自己还是有很多阴暗的心理，甚至还有很多对自己的不满，只是我们不愿意去讨论、不愿意去面对、不愿意去思考、不愿意去承认。

所以，**生活中大部分问题的本质都是对自己"我是个好人，但我很多时候也不是好人"这个矛盾心理的不接受。**

一个不愿意承认自己存在我慢的人，后果一定是比较严重的。而一旦开始接受"我就是一个这样的人"时，你就能够瞬间理解别人也是这样的，心里就好受多了，慢慢也就活得比较海阔天空。

做好人最大的问题就是，他不甘心仅仅做个好人。

他很想获得那些"坏人"得到的东西，但他又不能接受自己用坏人的方法获得这一切。然后，一旦别人用这个方法对他，他又心生不解，甚至怨恨。

从表面上看是好坏的问题，其实是能力的问题。本质上，所有哭泣、悲伤、愤怒或者其他简单的情绪表达，都是对自己能力不足的遗憾和怨恨，对自己无能的痛苦，但又不能表现出来自己无能，也不能告诉别人自己无能，这几种情绪往往一交杂，就以一种很粗暴的形式表达出来。

"没看到人间险恶的一面""看到人间险恶的一面""根本不知道人间有没有险恶"

读完《人间世》，我有一个直接的感触：这个人间有三种人。

第一种人，没看到人间险恶的一面；

第二种人，看到人间险恶的一面；

第三种人，根本不知道人间有没有险恶。

以上三种人在人世间分别会遇到什么麻烦呢？我觉得，麻烦甚至危险主要体现在各种人际关系——职场关系、亲密关系、朋友关系等各种人际关系中。比如，职场关系。在职场中，为什么总有一些人觉得自己被人背后捅了一刀？其实是被嫉妒了。

嫉妒是人性恶里面很重要的一部分，嫉妒是什么呢？嫉妒就是特别不希望你好，你好了之后我很生气，所以我想方设法让你没有那么好——嫉妒是用来喂养"觉得自己好"这种感觉的食物。

人性里面的嫉妒感是如此强烈，而且如此普遍。无人没有，无处不在。所以，我们一定要很清楚地意识到自己也是这样的人，对于别人可能会对我们产生这种嫉妒的恨要保持理解。不是防范，而是理解，非常非常理解。如果我们理解了别人对自己这种感受时，就会采取一种很谦卑的方式，这样大家都舒服。如果不理解，一次又一次越努力地去表现你的好，就会被别人捅越多的刀。

你每次表现好，都是被人捅刀的原因。这也是为什么漂亮女孩总是命运多舛、风言风语比较多的原因。庄子教导我们，只知道世界有漂亮而不知道别人觉得你漂亮是一件罪恶的事情，就是在让自己漂亮的同时，播下了仇恨的种子，你用你的好来衬托别人的坏，就是做了一个恶，这种恶其实就是造业。当然，这个好或漂亮是一种指代，包括你的智商、钱财、美丽、善良、好的口碑等一切成功。

我觉得，那些懂得在适当的时候逃跑的人，其实是善良的，因为他们没有让你有时间、有机会对他们作恶。也就是说，他们用自己的智慧避免了你可能多增添一层罪恶。

禅宗有一个公案：一个和尚知道有人要杀他，但是，杀和尚是一个很深很深的罪孽，于是和尚为了避免别人再多添一层恶，就搬块石头，"啪"的一声把自己砸死了。活在人世间，我们不需要那么壮烈，尽自己所能不要给别人留下作恶的机会即可。

一些人不仅仅自己被捅，还给别人留下作恶的机会，这其实也是不道德的，害人害己。

　　归根到底，在人世间不管怎么折腾，仅仅做个好人很危险，仅仅做个有心机的人也很危险，仅仅做个没有觉察的人，还很危险。

　　于是问题就来了，如何才能不显得那么好？其实这可能是个伪命题。

　　真正显得不那么聪明的人，不是装出来的，而是他见过比自己聪明太多倍的人。他已知的"海岸线"越长，对无知的"海洋"的了解就越深，所以他会自然而然地呈现出一种谦卑感。以我自己为例，我特别喜欢做室内空间设计，正安的很多室内设计都是我做的。但是自从我认识了两位设计大师之后，就再也不敢在他们面前展示我的设计了。

　　我看到的那些比较接近得道的人，他们总是表现出不那么好的样子，体现出他们和光同尘的一面，甚至有意地体现出自己的缺点。

　　记得第一次见宗萨蒋扬钦哲仁波切的时候，我有一点儿不自然——虽然我也见过很多智者。然后，他就跟我分享了他头疼的经历，还问我中医有什么办法处理这件事情。后来我才明白，他是有多么大的慈悲啊！他什么样医术高明的医生没见过？他的弟子里面就有很多顶级的医疗专家，但他为什么要和我谈这个话题呢？实际上，他只是要让我在那一刹那间感受到他并没有那么高高在上，他用这种方式来证明他也是一个凡人。

成熟懂事的大人都知道蹲下来和孩子聊天。孩子在用各种方法骗你的时候，你还配合他让他来骗你，这就是慈悲，这就是智慧。所以，慈悲跟智慧永远都是并行的，真正的慈悲一定是有智慧的。真正的智慧也一定自然长着慈悲的心，这就是"智悲双蕴"。

在人世间，我愿我们每个人都活成一个慈悲跟智慧永远并行的凡人。

从本质上来说，《人间世》讲了三种情况：好人该如何入世，坏人该如何入世，以及不知道自己好坏的人该如何入世，与这个世界优雅相处。

梁同学的私房笔记，必有各种不究竟，恳请斧正。

梁冬（太安）
2017丁酉年秋于自在喜舍

目录

第六章

如何与看不见自己过失的人相处

如果你觉得自己算是个好人，

但却屡屡受到伤害，

你就要和我一起学习《人间世》。

第一章

人心难测没什么问题，

你对人心难测不了解才是问题

原典

颜回见仲尼，请行。

曰：『奚之？』

曰：『将之卫。』

曰：『奚为焉？』

曰：『回闻卫君，其年壮，其行独。轻用其国，而不见其过。轻用民死，死者以国量乎泽若蕉，民其无如矣！回尝闻之夫子曰：「治国去之，乱国就之，医门多疾。」愿以所闻思其则，庶几其国有瘳乎！』

仲尼曰：『譆，若殆往而刑耳！夫道不欲杂，杂则多，多则扰，扰则忧，忧而不救。古之至人，先存诸己，而后存诸人。所存于己者未定，何暇至于暴人之所行？且若亦知夫德之所荡，而知之所为出乎哉？德荡乎名，知出乎争。名也者，相轧也；知也者，争之器也。二者凶器，非所以尽行也。

『且德厚信矼，未达人气；名闻不争，未达人心。而强以仁义绳墨之言术暴人之前者，是以人恶有其美也，命之曰菑人。菑人者，人必反菑之，若殆为人菑夫！』

当你的人际关系陷入困境时，《人间世》可以帮你

《人间世》是《庄子·内篇》的第四篇，主要讲的是与人相处之道。

在《人间世》中，庄子告诉我们，不管你在日常生活中如何拥有"颅内高潮"，感觉自己与宇宙化为一体，你仍然要在这样一个哪怕是假的世间，貌似真实地与各色人等打交道。《人间世》讲的大概就是这样一种危险的旅程。

冯学成老师在《禅说庄子》中讲过："春秋战国时

期，中国可谓是礼崩乐坏……道家学说，特别是庄子，对当时社会的阴暗面，揭露得可以说是入木三分。在庄子看来，当时整个社会极为险恶，人心也极为险恶。怎样在这种险恶的社会、人心环境之中，以不变应万变，使自己能够养生、全身、保命？这些问题就是《庄子·人间世》这一篇中很重要的内容。"

当下，你必须学会和你的老板相处、和你的老公（老婆）相处、和你的同事相处、和你的竞争对手相处、和你的邻居相处、和你的同学相处……

有时候，当你陷入与人相处的困境中，读一读《人间世》，就会找到一种解决方案或者心法。

帮人要"先正己"

在《人间世》里，庄子从一个故事讲起：孔子最为得意的学生——颜回，有一次去拜见孔子后向他辞行。

孔子就问他："你去哪儿呢？"颜回说："准备到卫国去"。孔子问："去那儿干什么？"颜回说："我听说卫国那个国君呐，'其年壮，其行独'——年轻气盛、专横独断，处理国家大事很轻率随意，无所顾忌。而且，他想砍谁就砍谁，令老百姓大量死亡。"

我们知道，作为统治者，如果他用随便杀人的方式来震慑民心的话，在短时间内可能会收到立竿见影的效果，尤其是把砍人当作一种表演，那种震慑力确实很可怕。

"死者以国量乎泽若蕉"——老百姓死得就像大水塘中干枯的草芥一样。

"民其无如矣"——老百姓已经无路可逃。

颜回接着说:"我曾经听老师说,有道的国家,你可以离开它,因为它不那么需要你;而无道的国家,你要去帮助它,正如医生门前病人多。我很希望遵从老师对我们的教诲,去卫国帮帮老百姓,一展抱负。"

孔子听后,并没有沉默,尽管很多时候他会用沉默来表达,但颜回是他最喜欢的学生,这一次,当他听说颜回受到自己的影响之后要帮助无道之国,就连忙说:"谆。"什么意思? "谆"就是"唉",表现出孔子对颜回有一点点心疼,又对他的未来有一点点不安。

总之,孔子用了一种很奇怪的语气说:"只怕你到卫国后会遭遇不测。要知道,**大道是不应交错杂乱的,在混乱的局势里面,人多嘴杂,就会多事,多事之后就会产生烦扰,烦扰又会产生忧患,忧患多了,你也自身难保了。**

在古代，那些至人（聪明的人），总是先正己后正人，让自己有一种金刚护体之力，然后再去治病救人。好比你是一个身体很强壮的人，如果去帮助别人，就不那么容易受到伤害；如果你本身就是易感体质，你冲进去，人没帮到，自己已经先被感染了。颜回啊，你就是那种没有金刚护体的人，怎么可能去纠正一个暴君的行为，去推行大道呢？"

南怀瑾老师在《庄子諵譁》中也讲到："这一段完全是对青年人说的人生哲学，是孔子讲的青年人的修养哲学。"

这种情况放在现代，就像一位年轻人有机会空降到一家公司做VP，他觉得自己能够力挽狂澜，就去和老师说："这正是我一展抱负的时机。我以前想到很多种治理结构、创意以及商业模式，现在终于逮着一个大机遇，我要去！"

对人心的难测不了解就会出问题

在上面这段对话里，你可以看到一个历经人世沧桑的真实孔子，或有些许世故（在《论语》里，你会看到一个充满理想的孔子），是一个对人性有着异于常人的理解和洞察的中老年智者朋友的形象。尤其在对待自己最爱的学生身上，孔子呈现出了一种父亲般暖暖的真实感。

他跟颜回说："你知道道德之所以衰落，而智巧之所以产生的原因吗？道德的衰落，是因为大家开始追求有名，刷存在感；智巧的产生，则在于争夺和竞争。对出名的渴望，导致人们彼此之间相互倾轧、相互比较。而在这个过程中，所谓机智、聪明、善巧等方法，无非是互相争斗的工具。智和巧，都是凶器，不可以随便推行于世。"

对于这段话，南老（南怀瑾老师）曾说过："为什么会这样呢？因为固执个人的所知所见，争强好胜，争就是好胜。"

孔子了解颜回的性格，知道他是一个天性善良、"德性"（道德和品性）纯厚的人。所以，孔子很喜欢颜回，认为他的品格很可靠。正因为如此，孔子跟颜回说："一个人德性纯厚、信誉可靠，未必能够被别人所了解；一个人虽然不追求名声，但未必能够得到别人的认同。"

读到这段，我就在想一件事，现在国学教育很流行，大家都在教孩子背诵学习《论语》《弟子规》等。被这样培养出来的孩子可能善良忠厚，但是，他们往往会在进入社会后受到伤害。

你看，"始作俑者"孔子就深深地知道，**忠厚善良是需要建立在对人世间有着深刻理解的基础上才可以**

做到的。

　　因此，《人间世》这一篇其实是庄子借孔子的口来讲好人该如何自保的问题。如果你觉得自己算是个好人，但却屡屡受到伤害，你就要和我一起学习《人间世》。

　　庄子对于人性的险恶有着深刻的洞察和理解。基本上，庄子并不认为人心的难测有什么问题，因为这就是"人间世"。你对人心难测不了解这件事情本身，才是问题。他对于人性险恶是没有抱怨的，只是借由孔子的口来对好人予以同情和提醒。

　　接下来，我们也可以尝试着学习一下好人如何在险恶的人间保持不受伤害的艺术。

好人刷起存在感，也很可怕。

好人在强者面前刷存在感，

不仅可怕，还很可悲。

第二章

如何做一个智慧的好人

『且苟为悦贤而恶不肖，恶用而求有以异？若唯无诏，王公必将乘人而斗其捷。而目将荧之，而色将平之，口将营之，容将形之，心且成之。是以火救火，以水救水，名之曰益多。顺始无穷。若殆以不信厚言，必死于暴人之前矣！

『且昔者桀杀关龙逢，纣杀王子比干，是皆修其身以下伛拊人之民，以下拂其上者也，故其君因其修以挤之。是好名者也。

『昔者尧攻丛、枝、胥敖，禹攻有扈。国为虚厉，身为刑戮。其用兵不止，其求实无已，是皆求名实者也，而独不闻之乎？名实者，圣人之所不能胜也，而况若乎！虽然，若必有以也，尝以语我来。』

用某种方式定义自己的好，
就等于在定义别人的坏

"人心惟危，道心惟微，惟精惟一，允执厥中。"这就是中国传统文化中著名的"十六字心传"。

"道心"，就是在宇宙中很微弱，但永恒不变的那种慈悲和善意。不过，它很容易被人心蒙蔽。

人类社会在相互竞争中进化出来一种普遍的人性——倾向于更多地帮助自己在竞争中求得生存，但是，这对他人而言，具有某种破坏性。

庄子深刻地理解了这一点，所以他借孔子和颜回之间的对话来讲述人心的难测。

孔子很担心德性纯厚、品学兼优的学生颜回，如果他带着"诗和远方"的理想投身于"政坛"，很可能会受到伤害。

孔子认真地跟颜回说："如果你很勉强地把仁义规范之类的言词陈述于暴君之前，从某种程度上来说，就是拿别人的卑鄙来夸耀自己的美德，这种做法其实也是一种对别人的伤害。**你用某种方式定义自己的好，无形之中，就相当于把别人定义为恶人。**"

其实，庄子就是在说，**当你力量强大的时候，你也许可以这样做。但如果你是弱者，却还跑到强者面前宣扬"不做坏事"，就是把比你强大的人定义成做坏事的人，是很蠢的行为。**想想看，你的对手力量比你强，而且已经被你定义成了坏人，他会怎样？他一定会恼羞成怒啊！

历史上那些忠臣，他们反反复复地以死相谏，拿自己的身家性命要挟皇帝，以此来彪炳千秋，一旦他们把忠诚的位置占住了，就等于把"昏君"这顶帽子扣给了君主。

在亲密关系中也是这样。有些女性会有意无意地把自己设定为好人、善良的人、聪明的人，并不断地予以强化。同时，在她们的潜意识中不自觉地把自己的男朋友或者老公设置成了坏人、不善良的人、愚钝的人。从表面上来看，她们是在成就自己，但从本质上来说，这样做即便不能用"自私"来形容，起码也是不够智慧的。

冯学成老师说过："知止，才不会随便超越自己的半径，吃得亏，忍得气，这是需要很大的功夫的。"

讲回刚才的故事，孔子对颜回说："如果卫国的君主是一个喜好贤德而讨厌不肖之徒的人，怎么会轮到你去成为那样的好人呢？早就有各种好人围绕在他身边了，哪里还需要你去他面前标新立异？除非你不做那种以死抗争的谏言，否则，在日常生活中，你会让他隐隐地感觉自己是一个愚蠢的人、一个恶人，但是他又说不出来，只能干着急、干生气，找机会抓住你的漏洞来跟你辩论。到那个时候，你就会百口莫辩、六神无主。一旦你自知说错了话，又会被迫顺从、迁就，与暴君妥

协。这就好比用火去救火，用水去救水——你最终也会
沦为他的帮凶。一旦开始顺从这样的暴君，你就再也不
能自主了。如果他不相信你的忠厚之言，那你一定会死
在暴君面前。"

看到这段话，那些自认为是好人的同学，有没有一
种泪奔的感觉？

德性纯厚的人会遇到这种困境，究其原因，还是对
人性的洞察不够深。

好人在强者面前刷存在感，
不仅可怕，还很可悲

庄子之所以可爱，就在于他从来不对人性的恶怀有怨恨，他认为这都是正常的，是大概率事件。**弱者的愤慨只会把自己气到内伤。有很多好人的结局并不好，就是因为他们不够智慧，没有深入地理解人性。**

孔子继续讲："从前，夏桀杀害直接粗暴地指出其错误的关龙逄，商纣王杀害直言劝谏的叔叔比干，都是因为这些贤臣十分注重修道养德，在臣下的位置抚爱人君的百姓，以臣下的地位违逆了国君，所以国君就因为这些贤臣修道养德而陷害他们。从本质上来说，这其实是贤臣喜好民生，想要在历史上留下忠诚名声的结果。"

好人刷起存在感，也很可怕。好人在强者面前刷存在感，不仅可怕，还很可悲。

孔子又讲道："当年，尧征伐丛、枝和胥敖，禹攻打有扈，这些国家都变成了废墟，百姓生灵涂炭，君主被杀。这些都是因为他们用兵不止、贪利不已、求名求利所致。名利之心，也就是追求在群众当中的口碑、自己在历史上的地位，就连圣人也不能克制他们追名逐利的欲望，更何况你颜回呢？虽然是这样，你必定是有所依凭地去做事情的。这样吧，颜回，把你的想法跟我讲一讲吧。"

很多好人，内心通常
都有一种叫"我慢"的东西

　　读到这段的时候，我想到了那些自认为旺夫的太太。她们与老公共同打拼，开创出一番事业。老公在外面已经形成强人的心智模式，而太太则回家相夫教子，看上去一切都挺完美。

　　但是，有些太太曾经也是公司的联合创始人之一，回到家之后仍然以功臣自居，而在外面叱咤风云的老公，在她心中仍然是当年那个不靠谱的小男孩——毕竟相识于微时。她们以为自己拿到了长期饭票，"握"着儿子、房子、车子，有恃无恐，于是不再注重提升自己的形象和智慧，仍然以"我为你好，我希望你好"的方式，直通通地指出老公的种种不是。更严重的是，她们心里还认为这是"我在旺夫"。这种情况应该相当普遍。

当然，这些太太们的老公确实需要提高自己的智慧，听从爱你的人的建议。但是，人性是非常神奇的，人心是非常险恶的。这些在家里面"忠言逆耳"的太太——资深原配，会突然发现，老公已经不像以前那样对她们言听计从了。刚烈型的老公会直接掀翻桌子，柔弱型的老公则干脆不交流……

在教育子女方面，这样的状况也会出现。有些妈妈觉得，孩子是自己生的，他们穿的衣服是自己买的，他们受到的教育是自己规划的，自己有权力对他们耳提面命、提高声调、随意发脾气……似乎这些都是自己的权力。

我曾经看过一篇文章，讲的是一位妈妈突然有一天发现孩子不愿意跟她交流，在微信上屏蔽她或者直接去QQ空间更新（她根本就不知道），甚至撒谎——其实这些都是孩子在对她表示反抗。

随着孩子的成长，你再怎么付出，再怎么觉得是为他们好，孩子也已经不再完全认同你了。他们无法对抗你的时候，就会和你撒谎，不把自己的真实想法告诉你，最后伤心的仍然是那个正直、勇敢、无畏的母亲。

自诩为好人的人，内心通常有一种让别人不舒服的东西，这个东西就叫"我慢"。但它常常被包裹上"我为你好"的外衣，让人不容易分辨。

这样做真的是为对方好吗？或者是一种权力的延伸？不要再辩解了，问问自己，你的所作所为，是基于爱，还是基于对自我的维护。其实，大部分情况都是后者，难道不是这样吗？

一个人内在的骄傲和执着，是掩盖不了的。它就像一种『力』，而『力』必定也会存在一种『反作用力』。

第三章

对别人的诋毁不愤恨，其实是对自己的保护

仲尼曰：『斋，吾将语若。有心而为之，其易邪？易之者，皞天不宜。』

颜回曰：『回之家贫，唯不饮酒不茹荤者数月矣。如此，则可以为斋乎？』

曰：『是祭祀之斋，非心斋也。』

回曰：『敢问心斋。』

仲尼曰：『若一志，无听之以耳，而听之以心；无听之以心，而听之以气。听止于耳，心止于符。气也者，虚而待物者也。唯道集虚。虚者，心斋也。』

颜回曰：『回之未始得使，实自回也；得使之也，未始有回也，可谓虚乎？』

颜回曰：『端而虚，勉而一，则可乎？』

曰：『恶！恶可！夫以阳为充孔扬，采色不定，常人之所不违，因案人之所感，以求容与其心。名之曰日渐之德不成，而况大德乎！将执而不化，外合而内不訾，其庸讵可乎！

『然则我内直而外曲，成而上比。内直者，与天为徒。与天为徒者，知天子之与己，皆天之所子，而独以己言蕲乎而人善之，蕲乎而人不善之邪？若然者，人谓之童子，是之谓与天为徒。外曲者，与人之为徒也。擎跽曲拳，人臣之礼也。人皆为之，吾敢不为邪？为人之所为者，人亦无疵焉，是之谓与人为徒。成而上比者，与古为徒。其言虽教，谪之实也，古之有也，非吾有也。若然者，虽直而不病，是之谓与古为徒。若是则可乎？』

仲尼曰：『恶！恶可！大多政法而不谍。虽固，亦无罪。虽然，止是耳矣，夫胡可以及化！犹师心者也。』

颜回曰：『吾无以进矣，敢问其方。』

好人的潜意识里，往往觉得
自己不是"平常人"

在前面的篇章中，庄子借孔子的口说出，人心是很险恶的，不要以为你有爱、有正义、有智慧，就可以通行无阻。**因为当你自诩为好人的时候，你就播下了一颗"恶"的种子，让对立面的那个人无形中成为坏人。**

但如果你既正直，又懂得藏锋的话，那就会命运好转，逢凶化吉，福泽三代。

品学兼优的学生颜回带着满满的正能量，这会让那个很有力量的卫国国君显得很愚蠢。孔子对此表示很担心，便说道："来讲讲你准备怎么做吧，我还是很想听一听的。"

颜回吞了吞口水，说："我尽量做到端庄而谦谨，勤勉而专一，我到卫国去做这样的官员，守护住自己原本的样子，您觉得可以吗？"

孔子说："唉！这怎么可以呢！卫国国君非常骄傲，锋芒毕露，喜怒无常，平常人都不敢违背他，他还经常压制别人，来求得自己的心情愉快。每天用小德来感化这种人都不会奏效，更何况用大的品德来劝导他呢！这只会强化他坚守自己的角色感。哪怕他在表面上附和你，但他有可能内心并不赞同你，你的方法怎么能够行得通呢！"

颜回说："我内心有坚定的信念，听从自己正确而坚定的想法，顺应自然，知道天子和我都是自然生养的，不一定采取很强硬的姿态。我不计较自己的话是否能得到别人的赞同。也许这样人们就会说我童言无忌、童心未泯。我还可以保持自己沟通上的弹性，和大部分平常人一样，手拿朝笏，躬身下拜，这是做大臣的礼节——别人都这样做，我敢不这样做吗？做一般大臣都会做的事情，人们也就不会责难我了吧，这就叫跟平常人同类。"

通过这段话，我们还是看到了颜回的骄傲。他说自己会像平常人一样躬身下拜。言语之中，他还是表现出自己可以去装一下。那种骄傲和"我不是平常人"的潜台词，脱心而出。

把心放空，生命才没有危险

颜回说："我还可以像古人那样引述先贤的诤言，说上古的贤人都是这样说、这样做的，我是站在历史正确的一方，这样就可以保持我的正直不阿，而且也不会受到伤害。老师，您认为这样可以吗？"

作为一个饱受帝王折磨的"老司机"，孔子很懂得人性的幽暗和不可测。他对这个爱徒偏爱有加，不得不继续说："唉！怎么可以这样呢！你想要纠正人君的做法既不通达，又很浅陋，倒不会遭到罪责，但也不会达到效果。再说，你怎么能够感化他呢！你好像还是太执着于自己的成见。"

颜回有点儿沮丧，说："我好像也没有更好的办法了。请问老师有什么办法吗？"孔子给出了方法："你去斋戒，我再来告诉你。你要用心去做，用心去斋戒。"颜回说："我家很穷，不喝酒、不吃肉已经好几个月了。这算不算已经斋戒过了呢？"孔子说："不喝酒、不吃肉，这是普通的斋戒，并非是心斋。"颜回问："请问什么是心斋呢？"

孔子说："你必须摒除自己的杂念，心智要很单纯，不要用耳朵去听，而要用心去领悟。逐步过渡到不用心去领悟，而用气去感应。耳朵的功能只是聆听，心的功能是与外界事物结合。'气'因其虚无，才能够接纳万物，达到'虚无'的心境之后，就是'心斋'了。"

颜回深深地吸了一口气，说："老师，在听您这番教诲之前，我颜回就是颜回，听了您这番话之后，我颜回就不再是颜回了，这算是进入了您所说的'虚无'的境界吗？"

回曰："敢问心斋。"

仲尼曰："若一志，无听之以耳，而听之以心；无听之以心，而听之以气。听止于耳，心止于符。气也者，虚而待物者也。唯道集虚。虚者，心斋也。"

南老在研究这段文字的时候，觉得很奇怪，他说："庄子这个时候，佛教绝对没有进入中国，这个就是列子所提到孔子的话，'西方有圣人，东方有圣人，此心同，此理同'，大家的方向完全一样。"

这是中国文化里面的无上心法，庄子在这里借孔子的口说出来了。

我接触过的道教老师也都非常强调"虚其心"——把心放空。时下，有很多人去练习辟谷。据说，辟谷几天后，这些人的血压正常了，血脂也没有那么高了，睡眠也变好了，体重也降下来了。

BBC（英国广播公司）曾经做过一期纪录片，讲的就是断食的科学意义——人们在断食的时候如何启动某个自我机制，这个机制可以帮助我们清除身体里的垃圾，并且能够定期整理好内在的物质和能量。这里所说的断食与辟谷在某些方面具有较大的相似性。

请注意，尽管越来越多的人尝试辟谷，但这需要在专业人士指导下进行，甚至需要事先做体质检测，才能够真正做好辟谷。

我们太安私塾的一位同学是某证券公司西南区老总，有一位道家老师在教他。于是，他在证券行业里做了一次小小的辟谷分享。我亲眼看着他的黑眼圈变淡，身体变得清瘦，精神变得抖擞，能量很足的样子。

我就向他请教："小刚师兄，请问其方。"他说："关键是饿的时间足够长，三五天不够，要七天。"我问："七天都只能喝水吗？"他说："是啊，坚决不能吃固体食物（当然，还有一些其他的配合方法，请遵照专业人士的指导）。"

我又问："为什么是七天？"他说："前三天断食的时候，排泄物好像还挺正常；但第四天到第六天的排泄物可谓'年代久远而深厚'。"

顿时，我理解了。可以说，**辟谷就是身体的"放空"**。现在，很多人吃饭很快，食物被匆匆忙忙咽下之后并没有得到充分的消化。于是，这些食物就变成各种垃圾，若不能被排出体外的话，久而久之，它们就会导致慢性疾病。

　　我再次强调，辟谷是需要方法的，并且因人而异，也不能够包治百病。

　　孔子给颜回开出的方子就是，**不仅要在身体上放空，更重要的是把心放空。专注地把所有念头放在"放空"这件事情上，去"感受"周围的声音。不要用耳朵去听，要用心去"听"。**

你会用心"听"吗

很多人都好奇，不用耳朵去听，用心怎么能够"听"得到呢？

譬如，我唱一句"夏天夏天悄悄过去留下小秘密"，我没有唱后面的歌词，但你一定能"听"到后面的歌词"丫心里丫心里"，是用耳朵"听"到的吗？确切地说，是你的意识"听"到的（后来我看了歌词，是"压心底压心底……"）。

那到底是不是脑"听"到的呢？也许有大脑参与的成分，但这可能还是一个全然和合的结果。

刚开始，我们听到的是一些常常听到的歌和声音。然后，你就会听到各种念头生起的声音，并伴随着一些噪音。再过一段时间，你就不要用意识去听了。

"而听之以气"，就是你不再用意识去觉察这是什么声音，是贝多芬还是莫扎特的曲子。**当你不再有意识地去关注、觉察声音，然后慢慢地，你只是感觉自己的身体像气球一样，一收一放，感觉自己随着整个空气当中的节奏在调整，一升一降。当吸气的时候，你感觉自己像充满了空气的气球；当呼气的时候，你感觉自己像泄了气的气球。**所谓"听之以气"，我的理解就是去"感受"节奏和频率。

从书上看文字所接收到的信息，与听喜马拉雅FM上梁注庄子的《庄子的心灵自由之路》的音频课程所接收到的信息未必是一样的。在看文字的时候，你用眼睛摄入信号，然后通过视觉神经和意识神经形成一系列网络，把它转换成某种道理和概念。

其实，音频《庄子的心灵自由之路》传递的不仅仅是意识，还有频率和节奏。你在看文字的时候，是按自己的节奏在"感受"；在听音频的时候，则是在跟我们一起呼吸——只有同呼吸，才能共命运。

譬如，有一对夫妻在散步，走着走着，两个人的脚步频率变得不同。通常，这种情况说明他们的感情可能有问题——不管他们再怎么秀恩爱，还是能够一眼就被看出来。

有一位朋友来看我，坐下来之后，我们四目相对，同时问候对方最近怎么样。然后，我们都仰天长笑。那个节奏仿佛就是我们都坐下来，我等他喘定气，他等我喘定气，两个人四目相对之后，用同样的方式来表达对对方的问候，同时，我们也都感受到对方的关怀。

同理，父母教育孩子也不能够只从道理层面进行灌输。试问一下，有多少人真正听得进去道理呢？单纯讲道理的人并不能够把道理讲好、讲清楚，而听道理的人也会加入自己的想法。

从本质上来说，任何道理都只不过是用来显得有文化的道具而已。我们只要跟孩子做一样的事情，就能够

慢慢找到感觉。

当儿子哭的时候，我会观察他的呼吸。如果他开始大吼，我就跟他一起大吼，哪怕只把嘴张开，两次之后他就能控制住自己不再大吼。他体会到自己受到某种同频共振的"加持"。

一个孩子，他可以在与另外一个频率共振的过程当中，体会到"我不孤单"，当他体会到自己未曾觉察到的安全感时，就不会再生气，因为有一个人和他同呼吸共命运。

许多时候，当你发现和一个人无法讲道理的时候，请记住孔子所说的"无听之以耳，而听之以心；无听之以心，而听之以气"。把自己做事的节奏、说话的节奏、呼吸的节奏，甚至哭泣的节奏都调整为和那个人一样，你们自然而然就能够顺畅沟通。

以前，我在《冬吴相对论》里面讲过，英国的某个王子不爱江山爱美人，而且那个女人还离过婚，问题是她长得还不是很漂亮。后来，王子放弃皇位的继承权，就为了跟这个女人在一起。许多人都问王子为什么。他说，这个女人可以释放出灵魂的氧气。当我讲笑话的时候，她就展露出孩童般清澈的笑；当我讲伤心事的时候，她眼中饱含热泪，深深地"感受"我的悲痛。

这句话听起来很简单，但由此我们能够看出这个女人是真的用心，而不是用"心机"。

孔子告诉颜回："你在心斋的时候，要让自己的'频'与整个空气当中若有若无、有情与无情的众生达成共识，或者达成共振。"

"我是为你好"，实际上是一种"我执"

回曰："敢问心斋。"

仲尼曰："若一志，无听之以耳，而听之以心；无听之以心，而听之以气。听止于耳，心止于符。气也者，虚而待物者也。唯道集虚。虚者，心斋也。"

让我们再看看这段话，它很高级，不仅显示出孔子很高级，也显示出庄子很高级。在这个故事里，孔子不断地让颜回去做内在的"去我"，也显示出庄子对这种智慧的极大推崇。

一个人怀揣着"我是为你好""我是对的"等想法，哪怕他只是在心里面默默地有"我是对的"这样的念头，就形成了所谓"我执"；当他觉得"我比你聪明，比你更知道事情应该怎样做"的时候，就形成了"我慢"。

不管你如何包装，如何提醒自己要显得低调、朴素，都是很难做到的。一个人内在的骄傲和执着，是掩盖不了的。它就像一种"力"，而"力"必定也会存在一种"反作用力"。

当你暗暗地想要坚持自己的想法去推动别人的时候，就会被别人暗暗地用他所拥有的执着和傲慢反击回来，你就会受到伤害。其实，我们认真想想，谁又不是拥有自我骄傲而在生活中屡屡受挫的人呢？

人性本"恶"，不认同你是常态

前段时间，我的太安私塾第三期学生毕业了。毕业那天，我请同学们一起喝茶。我知道很多同学无论在知识、才华还是见地上都远胜于我，只不过我扮演的是老师的角色，他们交了学费就成为学生。现在大家毕业了，我和他们就是一样的。

我问一位同学："这位同学，我知道你很有见地。当你坐在下面暖暖地看着我在台上吹牛不打草稿时，是一种什么样的心情？你现在又是怎样的心情呢？"

这位同学本来挺谦卑，经常在我讲话的时候给我眼神上的肯定，并且总是在记笔记，显得很认同我的样子。结果，他发现我看出来他只不过是在眼布施于我，用赞同的样子布施给我信心的时候，就放下了。

他说："老师，其实你有些时候讲的也就那么回事儿，甚至有时我都忍不住觉得还可以这样看这个问题。"

那一刹那，我既高兴又惭愧，终于印证了我的猜想——他其实早就对我不屑，只是装得很维护我的样子。当然，这只是好朋友之间开玩笑的状态。

所以，我就说："毕业证已经发了，请赐教。"于是，这位同学就洋洋洒洒地把自己的观点阐述出来。我听着听着，就深刻地理解了一个道理。

在你面前的人可以分成两种：一种人直接表露骄傲，另一种人装作很认同你，但其实还是很骄傲。这就是人性，只有两种，没有其他。当你意识到自己每天面对的人也是这样的时候，对于别人不认同你这件事，有什么好生气的呢？因为我们也是这样的人。

庄子的可爱之处就是，他从来不批判人性的恶，知道这就是常态，这就是我喜欢他的原因。

"为善无近名，为恶无近刑。缘督以为经"，这
是《庄子·内篇·养生主》第一段的内容，讲的是
我们可以善巧方便地去解决问题，对于别人的诋毁，
要保持不愤恨，这起码是对自己的一种保护。

我们的所有痛苦，源自没有把自己放空

这段对话中的"心斋"，意思是让自己的意识放空。而庄子这位"编剧"，居然借孔子的口讲出这样的修行法门，真让我不得不发出深深的赞叹——我甚至觉得这一段是后来孔门的人改写的。

但是，我又觉得这样的想法太虚伪、太不应景。为什么我们不能相信这就是庄子向孔子的致敬呢？总之，在《人间世》里，庄子借孔子的口对颜回说："气也者，虚而待物者也。唯道集虚。虚者，心斋也。"

那么，什么叫作"虚而待物"呢？南老对此的注解是："虽然内心虚灵，但与外面物理世界还是相对待的。

这是第一步的修养，你先能够达到内心的虚灵就对了。"

举个例子，某人做营销很成功，是营销总监，后来被人挖到另外一家公司做营销的 VP。在新公司里，他做设计、调研、广告、危机公关……好像也都很有章法，但他自己总觉得不对劲儿。

原来，他后来的这家公司根本就不是市场驱动的公司，而是产品驱动的公司。那么，也许在产品驱动的公司，最重要的事情不是把以前那套组合拳迅速熟练地打起来，而是去学习像产品经理一样研究消费者，研究其使用场景和使用习惯，并成为产品经理的好朋友，甚至互相分享对消费者的洞察。

其实，**我们刚刚到一个新环境的时候，所有的痛苦都源自没有把自己放空。如果别人不提醒的话，你也许还没有意识到自己是一个"不空"的人，没有意识到自己随身携带过往的认知和经验。**

试想一下，假如你去见男朋友的父母，无论你来自什么样的家庭环境，你都要把自己的习惯放下。就算你原来在自己家里不洗碗，不给父母盛饭盛汤，吃完饭之后斜躺在沙发上玩手机，父母还得把银耳羹送到你的手里……如果带着这种"惯性"去他家，你会怎样？

我有一位朋友，他以前爱在大排档吃饭。每次吃完饭后，他嫌拿牙签麻烦，就"啪"地一下掰断一根筷子，直接用掰断的筷子剔牙。后来，他交往了一个"大家闺秀"女朋友。

这一天，他穿着笔挺的西装，把头发梳得油光发亮，去女朋友家吃饭。一开始，他和女朋友的爸妈聊得还算不错。吃完饭，他习惯性地，把筷子"啪"地掰断了。当时，老两口都吓傻了，心想这孩子疯了吧。我那朋友手里拿着一根折断的筷子，心里只能默念"这筷子也太不禁掰了吧，怎么一掰就断了"。

这就是生活中不被别人觉察的惯性。它总在最关键的时刻，发挥关键作用。

每件东西都有它自己的频率和节奏，
我们要做的是顺应

如果你没有觉察到自己生活中的惯性，那么通过七七四十九天，或者起码七七四十九分钟，甚至七分钟，**把自己内在的习惯或者对某件事情的期待放下，你就会变成一个用心若镜**（内心像明镜一样，客观地反映事物）**的人，这就叫作"心斋"。**

以前在电视台工作的时候，我很努力地去学习如何采访，希望自己显得很有存在感。然而，在做采访的时候，我总是隐隐地觉得嘉宾不是很开心。

后来有一天，我感冒了，不想说话，但采访已经定下来了，而且我那天也没有提前做关于嘉宾的功课，于是，我就把他仅仅当作一个人，而不是著名的导演。他说什么，我就听什么，不在中途插话，用自己的眼神给予肯定，他说完之后我也不着急马上接话。

突然，一件神奇的事情发生了。在他说完一段话之后，我隔一秒钟再回答。顿时，他居然有点儿慌张，仿佛在回想自己是不是说错话了，为什么话说完之后主持人都没反应。为了显得自己很专业，能够用强大的知识和能量震慑我，他又说了好多干货。说到高兴的地方我就笑，再给他一个善意的肯定眼神，说到无聊的地方我就在心里面默默地等待。结果，那是我有史以来最愉快的一次采访。

采访结束之后，这个导演站起来，紧紧地握着我的手说："你们电视台的记者就是不一样，瞧瞧你们的采访技巧，明明我什么都不想说，却全都说出来了。"

后来，我发现这个结果的原因就是我的慢半拍、不期待、不判别，让他产生强大的心理空虚感，觉得必须得说点儿干货，否则不足以证明自己的实力。

　　每件东西都有它自己的频率和节奏。但是，当我们到新的环境去面对新的情况时，首先要做的事情是收摄住自己的成见，拿捏住自己的惯性，放开对之前的预判，甚至做出慢半拍的反应，这就是"虚而待物，唯道集虚"的道理。

　　这就是南老讲的"你能够做到内心意识不动，心里很宁静，耳根也不向外听了，就完全返归内在了"。

　　我特意在这段话中间留下一段空白，让你观察我停下来之后，你的念头是怎么样被自己的惯性抛出去的。如果你觉察到念头是被惯性抛出去的，恭喜你，你已经开始觉察自己。

　　太安私塾的同学们在每一期毕业的时候，都会跟我说一句话："梁老师，跟着你没学到什么，除了《庄子》《论语》，做人啊，撸串啊，喝酒啊以外——这都不算事儿，真正学到的一样东西就是开始觉察自己。"

　　为什么你可以觉察自己？觉察完之后又怎么样呢？之所以能够觉察自己，是因为你开始养成觉察的习惯；之所以觉察之后有价值，是因为你觉察之后发现天边飘来五个字——那都不是事，既然都不是事儿了，你就开始发现自己内在的空灵了。

进入一个新环境，要心存敬畏，要『虚而待物，唯道集虚』。

第四章

与其关注十年之后的变化，
不如关注十年之后有什么是不变的

原典

夫子曰：『尽矣！吾语若：若能入游其樊，而无感其名，入则鸣，不入则止。无门无毒，一宅而寓于不得已，则几矣。绝迹易，无行地难。为人使易以伪，为天使难以伪。闻以有翼飞者矣，未闻以无翼飞者也；闻以有知知者矣，未闻以无知知者也。瞻彼阕者，虚室生白，吉祥止止。夫且不止，是之谓坐驰。夫徇耳目内通，而外于心知，鬼神将来舍，而况人乎！是万物之化也，禹、舜之所纽也，伏戏、几蘧之所行终，而况散焉者乎！』

做人做事，
不要老想着去证明"我是谁"

　　《庄子·内篇》的前几篇，《逍遥游》讲的是人如何在内心突破自我局限的问题；《齐物论》讲的是世间万物如何相互咬合后共同形成统一场；《养生主》讲的是人如何在宇宙中游刃有余，并让自己的生命之火薪火相传的方式；而一到《人间世》就开始接地气了，讲的是人如何在世间不受伤害的秘诀。

　　颜回要去卫国做个不大不小的官，他的老师孔子担心像他这样能力品格都极其优秀的人会在世间受到折磨，于是对他谆谆教诲。

　　你看，庄子就是用这样一个故事提醒我们，一个觉得自己相当不错的人，要如何面对人心难测。

人总是觉得自己了不起，认为自己的所作所为都是有原因的，自己付出的努力多于常人，甚至有人觉得自己其实很漂亮，只是没有 PS 照片或者整容而已。还有，每一位母亲都觉得自己教育孩子是成功的，每一位父亲都觉得自己在外面为家庭打拼不容易……这些都是人心的惯性。

孔子希望颜回在去卫国的时候，要做好斋戒。**身体的斋戒约等于辟谷，而"心斋"就是放空自己的心，不带某种成见**（习惯）**，甚至不带自己隐隐的傲慢去证明什么。**

说到此处，颜回说他心斋若干时间之后，发现了一个全新的自我。为什么颜回会这样认为呢？因为他放空了。

举一个不太恰当的例子，就像你便秘很多天，突然有一天不知道什么原因，一下子放空了，感觉从胃以下的部分都是通畅的。这时，你有没有一种两眼放光、身轻如燕的感觉？

颜回放空的是"心"，就是自己的意识。当一个人没有怀揣着想要证明"我是谁"的念头时，自然而然就会用心若镜。无论多大的内存，不管多少 G 还是多少 T，它的存量总是有限的。唯独一面镜子可以将整个宇宙包容进来，来者不拒，去者不留，视为"用心若镜，不粘连"。

孔子看到颜回这样的状态之后，就开始给他讲更加具体的事情。作为一个在官场上游历多年，饱尝挫折的"老江湖"，他跟颜回说："你进入卫国境内，不要因为想求得虚名而去感动卫国国君。卫君听从你的话时就说，不听时就不要说。不要因为说了什么话而留下把柄，给人可乘之机，可能有一些你的潜在竞争对手，会用你的话去跟卫君说：'你瞧，这个颜回，他居然用为你好的名义在破坏卫国的根基。'千万不要让这种人有机可乘。"

对于"若能入游其樊，而无感其名"这句话，南老曾说："你还是受外界牵引的，这个'名'字代表了外面的事理，一切事，一切理，一切外物，都还能够牵引动你。"

孔子告诉颜回要到不得不说的时候再说话，这样就离大道不远了。

努力做点儿什么并不难，
难的是不做什么

许多人跳槽去新公司，有的人走访每个部门去搞清楚每件事情是怎么来的，而有的人则一来就大刀阔斧地进行"改革"，更有甚者，对这家公司的 LOGO、装修甚至工作流程都指手画脚。

可是，要知道老板请你来的时候，自然是对你抱有期望，但你在说这个不行那个不行的时候，其实已经暗暗地埋下祸根。因为很有可能这个 LOGO 是老板当年的得意之作，这个流程是老板当年苦心建立的结果。也许在你看来这些都不尽如人意，但老板既然出得起钱请你，说不定跟这些都是有关系的。

天底下有好多事情是直接相关的，还有好多事情是一个统一场，是间接相关的。你说这个 LOGO 跟这个公司的命运有什么关系呢？

在过去的困难时期，有一些名字很难听的人，比如狗剩啊，二蛋啊，人家就能活下来。虽然"名字难听"和"活下来"好像没有直接的关系，但可能也是有其存在原因的。

所以，**匆忙地对一些东西进行改变，你看到那个内在的自己了吗？是为了证明自己，还是为了刷存在感，抑或你害怕不做点儿什么就会让人觉得自己没有价值？**

其实，努力做点儿什么并不难，难的是不做什么。

看见世界的变化也不难，只要有一个微信账号，并关注几个热闹的公众号，我保证你是全宇宙最先一批知道 OFO、P2P、C2C、B2B、O2O……的人。

亚马逊的创始人贝佐斯说过一句我深以为然的话：

"常听人们问我，十年之后的变化是怎样？但是，很少有人问我，十年之后有什么是不变的？**我们的战略是要对不变的东西进行观察，我们的战略要架构于对那些不变东西的坚守。**"

事实上，技术、服务、环境、竞争对手等都在变化，如果你把所有的精力都留意在变化上，而没有留出时间去看不变的东西，那么，你就没有做事情的内心的"锚"。

贝佐斯讲的"不变"就是消费者的需求以及人性。

让我们来看一下民国时期的知识分子，他们讲的是住四合院、谈恋爱、吃红烧肉、晒太阳，等等。这些无不让你感觉到即使是现在，能够过上那样的生活也非常不错。这就叫作"不变"，也就是贝佐斯所说的要把大部分时间花在上面的东西。

做让自己睡得着觉的事，
做让别人睡得着觉的人

亚马逊几乎跟雅虎同时代出现却一直没有陨落，始终以每年30%多的方式复合增长，增长最迅猛的时候达到每年100%～200%的势头。亚马逊的股价也一路飙升，从几十、几百到最近的过千美元。现在，它的云存储服务量几乎是其他巨头的总和。如无意外，明年亚马逊的股价再涨5%~10%的话，贝佐斯将会超越比尔·盖茨，成为世界首富。

不过，你很少听到关于亚马逊的新闻吧。"至人无己，神人无功，圣人无名"，庄子在《逍遥游》《齐物论》里面都讲过类似的话。现在，他借孔子对颜回的教诲又说了一遍：**不要去刷存在感**。去的时候就待着、观察，不是迫不得已的话不要说，不是迫不得已的事不要做，首先要做的是让自己的频率跟集体的一样、跟领导的一样。

这里我想强调一下，不是让自己的语言行动跟他们的一样，而是把你的心以及想法的意识频段调成跟他们的一样，让大家觉得你不是一个危险人物。**慢慢而轻轻地渗入，等大家觉得你已经是一个熟悉的人时，再在合适的时候推动一些小小的改革。**

人生是一段长跑。如果你买过一只股票后，连续几个涨停板，你的内心一定要充满某种警惕，因为速生的东西必然速死。快速涨停的，就会快速跌停。要买那种每天涨一点点，比如0.3%、0.5%……跌也只跌一点点的股票。

从长期来看，过去两年股价都在慢慢涨的公司，今天买也可以，明天买也可以，买到就长期持有。贵州茅台、海天味业、汇丰银行以及腾讯都是这样的公司。把它们五年和十年的走势图拿出来看，你就会发现它们的股票几乎呈现一直缓慢向上增长的趋势。大致来说，这些就是能够让你睡得着觉的股票。

当然，你也要做一个让别人睡得着觉的人。

在企业里面，一个空降的高管或者中层管理者要做的事情是理解历史、尊重现实、连接过去、平稳进入，不是为了自己，而是为了整个体系，也是为了向那个缓慢而川流不息的大道致敬。

如果你觉得自己是人生的行为艺术家，就不会认为在某个阶段的沉默不是一段伟大的"庄子艺术"了。

以"无可奈何"的心态去做事

颜回要去卫国做官，孔子语重心长地告诉他："做事情的时候，要以无可奈何的心态去做。"什么叫作"无可奈何"？

简单来说，就是领导让你去做一件事情的话，你先推辞给其他同事，又让你做，你再推给其他同事。实在不能推辞了，自己再去做，不居功，不争名。**这不是"心机婊"的表现，而是知道事情因缘和合到一定浓度后去做才会水到渠成的艺术。**

孔子对颜回说："你到卫国以后，要让自己的精神安定，保持你内心的空灵与虚空（不是空虚，是空灵与虚空）。"这个时候，人自然就光明寿福。你对任何事情都抱持着开放的态度和心生自在的欢喜。

如果你是这样一种看见别人暖暖的人，那么，当他人分享快乐时，你就能够真心地为大家鼓掌；面对公司的困难，你也会没有抱怨、没有怀疑，只是诚恳地表示："嗯，好的，知道了，让我们一起想想有什么好办法。"

我有好多所谓"富二代"的学生，他们的老爹打拼大半生留下点儿基业，把子女送到海外读 MBA 或 EMBA，等待子女带着满脑子的新思想学成归来。通常，这些老爹需要子女来接班的时候会很痛苦。因为他们做的大部分是传统行业——农业或者重工业。留学归国的子女就觉得老爹的公司哪里都不对，公司的业务要转型，要互联网+，要大数据，要上 ERP、CRM 系统，老员工思想观念陈旧……这些事情几乎总在发生。

但是，我跟太安私塾的同学们说："那是因为你们年轻人血气方刚，总想证明自己，并且怀揣着傲慢与偏见。你要明白，正是这些你们觉得不对的东西供养你们在海外吃喝玩乐。今天，你们带着光环回来，但其实应该多花点儿时间先去了解为什么会这样。**最重要的是把自己的心放空。**"

这个似曾相识的情景出现在《庄子》里，就是颜回的故事。跳槽到新公司，就是一个高管空降的故事；在某个家族企业传承当中，就是归国的年轻子女如何接班的故事。

一言以蔽之，庄子就是在教导你如何不要带着自己的骄傲进入一个新环境。

进入任何一个新环境，
一定要心存敬畏

　　我听说过一件真事儿：一个年轻的媳妇，到了老公家以后，觉得到处都散发着老房子发霉的气味，怎么看那些老旧的瓶瓶罐罐都不顺眼。于是，她趁着公公婆婆不在家，决定来一次大扫除，证明自己是适合过日子的人。她把家里打扫得干干净净，把一些瓶子也给扔了。

　　公公婆婆回来之后，说："我那个瓶子哪儿去了？"她说："妈，我让收废品的收走了。"婆婆当时就晕倒了——那个瓶子是康熙年间的。

年轻的媳妇怀揣着热情，要让这个家庭焕然一新，呈现出一派阳光明媚的气象（这还是基于自以为不给公公婆婆添麻烦的情况，算是个好儿媳）。幸好后来他们把那个印有"康熙印"的瓶子底座捡了回来，然后在旁边镶上一圈儿黄金，将其变成一个烟灰缸，也算是一件古玩意儿。

唉，没文化是多么可怕啊！没文化不重要，重要的是没读过《庄子》，不知道进入一个新环境，要心存敬畏，要"虚而待物，唯道集虚"。

夫徇耳目内通，而外于心知，鬼神将来舍，而况人乎！

孔子说："当你形神安静、精神外驰的时候，连鬼神都可以过来依附于你，更何况一般的人呢！"

南老在《庄子諵譁》中对这句话的解读是："我们平常眼睛喜欢向外面看，耳朵喜欢向外面听，真正修养做到了，眼睛对外面见而不见，看到的同我不相干。就是佛学的话，内心意识不起分别，虽在闹市中，随便怎么吵，没有听见。"

也就是说，当你浑身充满着慈悲的光芒能量时，宇宙虚空当中的种种都会向你表示赞叹。很多人都说这句话很玄妙，其实非也。

一次，我有个学生来看我，还带着他的狗。那段时间，小梁正好训练得气场还不错。这只平常见人就咬的狗看见我的时候，突然躺下，整个肚子朝上，四脚朝天地向我撒娇。我的学生很惊讶，并表示从来没有见过这只狗有过如此表现。

后来，我观察了一下，有些人频率不对的时候，连小孩儿和狗看见他都要绕着走；而有些人频率对的时候，小孩儿就愿意让他抱，狗就过来摇尾巴，这就是"鬼神将来舍，而况人乎"。

当你的心情是松弛的，眉眼是欢喜的，内在是空灵的，不随便评判别人，而是暖暖地看着他犯错、吹牛、撒谎……所有好东西就会汇聚于你。

道家曰："人能常清静，天地悉皆归。"

通常，你努力追求来的东西都不怎么好。你只是待在那儿，推辞掉来找你的好事儿；好事儿又找到你，你再推辞掉；即使你把它交给别人，最后还是会落到你这里。这种好事儿，才值得期待。

你去观察一下周遭的人和事物，就会觉得小梁讲的这句话还是有点儿道理的。当你成为一个虚空之人的时候，美好的梦就会进入你的意识。

做从长期来看会有价值的事情，对于自己不能控制的事情想都不要去想。

第五章

你现在正在做的事，
三十年以后还想做吗

叶公子高将使于齐，问于仲尼曰：「王使诸梁也甚重，齐之待使者，盖将甚敬而不急。匹夫犹未可动，而况诸侯乎！吾甚憟之。子常语诸梁也曰：「凡事若小若大，寡不道以欢成。事若不成，则必有人道之患；事若成，则必有阴阳之患。若成若不成而后无患者，唯有德者能之。」吾食也执粗而不臧，爨无欲清之人。今吾朝受命而夕饮冰，我其内热与！吾未至乎事之情而既有阴阳之患矣！事若不成，必有人道之患，是两也，为人臣者不足以任之，子其有以语我来！」

仲尼曰：『天下有大戒二：其一命也，其一义也。子之爱亲，命也，不可解于心；臣之事君，义也，无适而非君也，无所逃于天地之间。是之谓大戒。是以夫事其亲者，不择地而安之，孝之至也；夫事其君者，不择事而安之，忠之盛也；自事其心者，哀乐不易施乎前，知其不可奈何而安之若命，德之至也。为人臣子者，固有所不得已。行事之情而忘其身，何暇至于悦生而恶死！夫子其行可矣！

『丘请复以所闻：凡交，近则必相靡以信，远则必忠之以言。言必或传之。夫传两喜两怒之言，天下之难者也。夫两喜必多溢美之言，两怒必多溢恶之言。凡溢之类妄，妄则其信之也莫，莫则传言者殃。故法言曰：「传其常情，无传其溢言，则几乎全。」」

了解了天命和人为，就不会患得患失

在孔子和颜回的故事讲完之后，庄子又安排一个人来请教孔子。在庄子的笔下，孔子成了著名的顾问，教一些人如何面对职场风云，安住于心。

这次来的人是叶公子高，名诸梁，字子高。他是楚国的大夫，奉楚王的命令到齐国去做外交谈判，一方面要维护楚国的利益，一方面又要和齐国达成新的合作。

叶公子高向孔子请教："现在楚国让我出使齐国，而齐国在接待外国使臣的时候表面上很恭敬，实际上却不肯帮别人的忙。感化一个平民尚且不容易，何况一国的国君呢？因此，我心里很害怕。

"我常常聆听您关于'道''成就''不要后悔'的
教诲，但我还是不甚了解。对于这次出使，如果做不
好的话，我会遭到领导的处罚；如果做得好的话，我就
觉得欢欣鼓舞。如今还没出发，阴阳二气便已错乱。也
就是说，我现在有点儿患得患失。平常的时候，我饮食
简单，甚为粗淡，不求精美。厨子们给我做饭，都很省
事，也不会去想吃什么东西容易上火，吃什么东西比较
清凉。现在，我早晨接受使命，晚上就觉得燥热，要喝
冰水，这就是由于我心中忧郁过度，发生了内热，因此
而上火导致的吧。"

诸位读者都有过类似的经历吧。突然，领导给你
一个大项目，你又想做好，又担心做不好，于是口舌生
疮、脚底流脓、中间痔疮……全来了。

原来，真的有一些东西亘古不变。古代人跟现代人
一样，一旦受到刺激，心一乱，就会上火。人的进化真
的很缓慢。

人们总是一遍又一遍地对于到来的任务和机会充满
患得患失的焦虑，进而导致上火。在充满技术变革和社

会结构变革的今天，如果人心、人性、身体的反应都没有太大变化的话，我们只要专门处理这些问题，不就可以常做常有吗？当你去不断地做这些事情，去讨论与之相关的问题时，就会活在确定当中。

乔治·索罗斯曾经说过，他在四五十岁的时候就问自己，到底什么事情是到七八十岁时还可以做的。后来，他发现投资可以做，慈善可以做，老师也可以做。于是，他就在四五十岁的时候开始布局，让自己在七八十岁的时候能够把这三件事情做好——当然，索罗斯本质上还是个很投机的人。

我相信再过二三十年，关于《庄子》的解读以及如何让自己安心自在法门的介绍仍然有价值。

仲尼曰："天下有大戒二：其一命也，其一义也。"

冯学成老师在《禅说庄子》中讲过："什么叫'大戒'呢？就是大的根本性原则。放在现在，我们还是要遵循这两条准则和规范。什么是'命'？什么是'义'？我经常说，儒家讲社会性，社会性就是'义'；道家讲自然性，自然性就是‘命’。作为一个人来说，这个‘命’，到后来还是自然性与社会性合到一起了。不过在这里，这个‘命’还是讲的自然性。‘义’，则是人的社会规范性。”

孔子对于叶公子高的患得患失，说了下面的话："天底下有两个大的法则，一个是天命，一个是人为。儿女喜欢自己的父母，这是天命。"当然，这是孔子的解读。坦白地说，我觉得父母喜欢儿女，那才是真正的天命。

孔子接着说："臣子服侍人君是人为。"现在已经不是封建社会，但一个人服从于他所贡献的事业，也是人为。

无适而非君也，无所逃于天地之间。

这句话说的是，在天地之间，你要把自己的生命托付给某项伟大的事业，这是无可逃避的。

天命和人为，是我们所称道的法则。如果你想避免这两件事情，是不可能做到的。假如你想切断与父母或者儿女之间的联系，哪怕登报声明，也是不可能的，父母子女之间的羁绊是很深的；如果你想不与他人发生联系而共同去做事情，也是不可能的。

对于以上两件不可能改变的事情，你就不要考虑了。不用考虑应不应该、好不好、做不做，因为没得考虑。

对于不能控制的事情，千万别做

巴菲特说："股票的波幅，不是我能控制的，所以我就不去考虑。"讲的就是这个道理。

股票或涨或跌，都受到太多因素的制约：政治的黑天鹅事件、股票操盘手当天的心情、对冲基金算法的bug、宏观政策面……所以，**对于不能控制的事情，你就不要考虑，纯粹是耗费脑细胞，做"无为之功"。我们要做的事情是在明白这些情况的前提下，去做自己能做的事。**

巴菲特投资的秘诀就是，购买每年都在赚钱的公司的股票。他认为，从大概率事件上来说，只要货币一直增发，这家公司就会一直赚钱。因为随着物价的不断上涨，一家赚钱的公司自然会不断提高产品的售价。也就是说，它的利润会一直增长。只要长期持有这家公司的股票，总是合适的。

从这个维度来看，贵州茅台的股价还是会涨。道理很简单，喝过真茅台的人没有办法喝假茅台，你把他摁在那儿，他也不会喝，他宁可不喝酒。

再比如，大部分从小就吃某款巧克力的人会始终如一。巴菲特就经常购买某款巧克力。我也吃过这款巧克力，真的很好吃。但是，我吃这款巧克力和巴菲特吃这款巧克力的体会是不一样的。因为巴菲特在吃这款巧克力的时候，吃的是自己的童年。

总之，那些你从小就吃着它长大的东西，不会受时间维度的影响。对于童年就一直在用的东西，你一定要坚守它。

很可惜，中华牙膏已经面目全非。如果中华牙膏的包装还像以前那样是黄色的铁皮，挤出来的牙膏还是那个味道，我相信它会一直卖下去。因为童年的中华牙膏，代表你在那个时候获得三好学生的心情、代表你去北海公园划船的经历、代表你骑在爸爸脖子上的快乐……这些东西具有恒久不变的价值，只要它还在，就一直有价值。

从长期来看，购买那些看起来一直都会存在价值的产品，哪怕涨得慢一点儿，仍然是最好的投资。

巴菲特用他的方法经历一战、二战以及美国的大萧条（指 1929 年～1933 年之间发源于美国，后来波及许多资本主义国家的经济危机）之后，通过投资成为这个世界上最有钱的人。他既不用贿赂官员，又不用参加应酬，也不用招聘太多员工，就能够赚到这么多钱，其实是基于这个简单的原则——做从长期来看会有价值的事情，对于自己不能控制的事情想都不要去想。

孔子话锋一转，跟叶公子高说："对于那些控制不了的事情你就不要控制。只要顺命去做、坦荡去做，哪怕因为做不好，回来遭到惩罚，你起码不会着急上火，因为你已经尽最大努力去做了。"

　　读过稻盛和夫的书后，我感觉他分享的是，自己
一直努力地工作，无论成功与否，后来都没有因为自己
为此不够努力而后悔过。成不成，是有很多因缘的，但
会不会因此着急上火，会不会因此而后悔，是你可以
决定的。

理解人心的多变和险恶，不抱怨

继续往下读孔子和叶公子高的对话，我们会产生一个疑问：为什么孔子对于同样的问题给颜回和叶公子高两种不同的答案呢？我想，可能是因为孔子有因材施教的习惯。

其实，在《论语》里，他也说过"有教无类"，但还是要"因人而异"。孔子很了解颜回，知道他生性敦厚仁慈，内心有强大的道德自我约束力，智商也很高。所以，颜回只要人在那里，即使他什么都不做，也容易让别人产生"自己是坏人而颜回是好人"的感觉。

而叶公子高呢，他本身是外交官，比较善于沟通协调，甚至有强大的"小宇宙"，联想力也很丰富。我们知道做外交官的人大都善于察言观色，具备"见人说人话，见鬼说鬼话"的能力，他和颜回的区别是，他太懂人性的恶——当然，我指的是古代的外交官，这些都是他们的职业素养。

因此，孔子给他们提出两种貌似不同的建议。让我们看一下孔子后来追加给叶公子高的建议吧。

他说："当皇帝的人，自我存在感是很强的，认为世界因他们而变。所以，他们对于喜欢的就很喜欢，对于自己不喜欢的就很暴躁。而你在齐王、楚王两个诸侯王之间传话的时候，切记不要过于投其所好，因为你不知道自己的表达是否真的恰当。幕后委托你的人，和你需要前去沟通的人，他们的想法都非常危险。他们可能在沟通时希望你这样，一旦你真的这样做了，过两天他们的想法又变了，但他们不认为是自己的错，反而还会认为是你的错。因此，你只需要做一个转述就可以了，不要添油加醋，是什么就是什么，不要加入过多自我主观意识，把话传到即可。"

在没有电话的古代，使臣的角色非常重要。**同样**

一句话，以不同语气讲出来，可能传递的信息就会不一样；同样一段话，先说什么，后说什么，以及说话的节奏不同，都会让对方产生不一样的联想。

在古代，一个使臣在自己传递信息的两国可能都会建立功勋，使两国实现共赢。但是，双方也有可能因为使臣的沟通而产生隔阂。虽然说"两国交兵，不斩来使"，但有些时候因为使臣不够恰当的语言，致使君王生起气来直接把使臣杀掉的事情也不是没有发生过。

派使臣出使的君王，还可能会听信旁人的添油加醋，说使臣在别的国家是怎么说的（一般情况下，君王会再派一个人从旁边观察使臣的一举一动）。旁边观察的人反馈回来的信息，就会影响到使臣回来后的命运。总之，使臣是一个非常危险且微妙的职业。

孔子给叶公子高的建议是：请做一个好的"超导体"——按照本来的意思，不添油加醋。他的原话是："为人臣子者，固有所不得已。行事之情而忘其身，何暇至于悦生而恶死！夫子其行可矣！"

意思是，做人臣子的，固然有不得已而做的事情。但是，只要尽力按实情去办，不顾及自己的身体，自然不会起贪生怕死的念头。

在这两段对话里面，**我们可以看到孔子的智慧就在于他深刻地理解人心的险恶，甚至对于这种险恶也没有什么好抱怨的，因为这就是实情，就像老虎要吃兔子一样。**

分享一个我儿子小时候最喜欢的故事：一只兔子在解手。突然，一只狗熊走了过来。兔子对狗熊说："狗熊，你也解手啊，你有纸吗？"然后，兔子从衣服兜里拿出一张纸把屁股擦得干干净净，高兴极了。这个时候，狗熊拉完了，它一把将兔子拿过来擦屁股，之后就把兔子扔了。

每当听到这个故事的时候，我儿子就哈哈大笑。不过，我告诉他，这是正常的。对于一只狗熊来说，它想都不想就拿兔子擦屁股，又软、又舒服、又干净。对于这件事情，你有什么好抱怨狗熊的不道德呢？它不讲仁义礼智信、不讲规矩、不为兔子着想……一切都没有意义，因为它是一只狗熊。

对于那些很不靠谱、显得人心很险恶的事情，你一点儿也不需要抱怨、生气。试着想一想，从大概率事件上来说，当这只"狗熊"蹲到你身边的时候，你擦屁股并跟人家说"我擦得很干净"，这是你的蠢，狗熊做什么都不是狗熊的坏。

同样，孔子也是用这种方法来告诉颜回和叶公子高："那些诸侯君王的内心变幻莫测、喜怒无常，这不是他们的错，但如果你不了解这些，那就是你的蠢。"

但是，在了解"人心惟危"之后，孔子对他们的不同劝诫来自对这两个人性格的洞察。他很清楚颜回是什么样的人，叶公子高是什么样的人。

不求创造奇迹，但求不造成巨大的损失

我建议大家去了解一点儿星座常识，了解之后，你就知道摩羯座的人就是这样的，处女座的人就是那样的。碰见一个射手座的人，你也能够理解他的不靠谱——因为太阳、月亮落在不同的宫。

可能你觉得这事儿不靠谱，但有些时候，时间真的很神奇。比如，大部分痛风病患者都有这种感觉，2016年比较好过一点儿，2017年比较难过一点儿——因为2016年的五运六气不会给痛风病患者带来那么多伤害。

我曾经做过一个不太多的样本取样，我相信不同时间对人的疾病是有影响的。既然对疾病有影响，那么对性格有没有影响呢？

其实，除了时间以外，教育、血型、体质等都有可能造成人和人之间非常大的不同，这才有了八万四千法门——佛陀在教化众生的时候，用了八万四千这样如此巨大的数字，其实远不止于此。

要成为自在的人，每个人都有自己的方法。孔子很深刻地理解到人在不同的处境、不同的外缘和内缘的情况下，需要不同的接应和开示的方法。

但是，不管方法是什么，那个中心的轴都是一样的——理解人心的险恶，保持自己稳定的频率。尽人事，安天命，不求创造奇迹，但求不造成巨大的损失。这个损失包括外界对别人的损失，也包括内在对自己的损失。

尽量让孩子体验电脑、手机以外的真实世界

在儿童教育方面，由此而带来一个很重要的启发：**作为父母，我们是否认真观察过自己孩子的天分。**

在过去的一个月里，我都沉浸在欢乐和幸福当中，因为我有机会向宗萨蒋扬钦哲仁波切做很深度的请教。在婚姻、教育等方面，我向他提了很多问题。其中一个问题就是，我们如何培养一个在十五年乃至二十年之后对社会还有价值的人？

熟悉小梁的朋友都知道，这是每次我碰见有智慧的人都会问的问题，是一个标准的"爸爸提问"——有一点

点了解"未来发展变化是日新月异"的中年男子的焦虑。

宗萨蒋扬钦哲仁波切的回答是，了解他是一个什么样的人，让他去成长为他自己。这句话听起来似乎很平常，几乎大部分教育学者都曾经这样讲过。不过，宗萨蒋扬钦哲仁波切强调的是，了解孩子内在的心性和因缘——他为什么会成为这样的人。同时，在未来他是不是有更多除了虚拟世界以外的经历可以与他人分享。

你如果去一所幼儿园或者小学，就会发现现在的孩子们交流的话题大部分是《幻影忍者》《王者荣耀》等他们最熟悉的东西。少有孩子给朋友们分享蜻蜓、青苔、蝌蚪，甚至是不同颜色的树叶做成的标本，还有回到家乡祭祖的时候给祖先磕头的情形。虽然这些东西不是高科技，但它们将来必定会让那些有这类经历与他人分享的孩子成为有魅力的人。

作为父母，我们还是应该多花一点儿时间，让儿女在童年的时候，尽可能地体会这个真实的世界。我相信这是一门很重要的功课。更为重要的是，我们需要在这个过程中去发现他们究竟对什么事情真正感兴趣。

什么样的人应该学习《心经》

有人问宗萨蒋扬钦哲仁波切，到底什么样的人才应该学习《心经》，或者应该向什么样的人讲述《心经》。宗萨蒋扬钦哲仁波切回答："那些一听到这些字眼就饱含热泪，甚至浑身发抖的人。"

其实，我们每个人都会为一些事情饱含热泪、为一些事情放声大笑、为一些事情激动不已，这就是人的本性。而孔子之所以向颜回和叶公子高提供不同的解决方案，从本质上来说，就是孔子清晰地意识到——每个人都是不同频段的"收音机"，可以在宇宙中接收不同频率的声音。

　　当然，这是一个比喻。那么，你曾经为什么事情感到过激动呢？最近一次你饱含热泪，甚至浑身发抖是什么时候，是为什么呢？发现它、了解它、把握它、发展它，你就会成为一个有魅力的人！

你的笑点和泪点,
决定你究竟是一个什么样的人

　　同样是前往陌生地方工作,孔子却给颜回和叶公子高提供了不同的建议。于是,庄子就总结出:**每个人,其实都有他内在的独特自我**。到底一个人应该如何做,才能够真正地了解这个"独特的自我"呢?

　　我看过宗萨蒋扬钦哲仁波切写的一本书,叫《不是为了快乐》。我们每个人都应该去了解自己。但了解之后,你是继续做这样的自己还是做出改变呢?对待孩子的教育问题是这样,对待亲密关系也是这样,甚至在创业过程中或是职场上,我们都可以借由一些事情来了解自己。

小时候，我观察一个人的主要方法，就是看他对哪类笑话感兴趣。大致来说，根据喜欢笑话种类的不同可以将人分成四种。

一种人对语言类笑话很感兴趣。比如，看到"小心地滑"的告示牌，这些人就小心地滑了过去。对于这则笑话，一些人觉得这有什么好笑的，还有一些人就会觉得"哈哈哈，小心地滑（形容滑动的样子很小心）"。每次在餐厅看见"小心地滑"的告示牌，我都会轻轻地滑过去，而且不由自主地觉得很好笑。

另一种人会觉得那些具有性隐喻的笑话很好笑。

还有一种人对政治类的笑话比较敏感。

最后一种人会对别人不可理喻的个性进行嘲笑。我在朋友圈看到一则笑话，摘录的是齐泽克讲的段子。在巴尔干地区有一种人，他们嘲笑另外一个族群的男人太懒了，说他们连自慰也懒得自己动手，而是在地上挖一个洞，把生殖器放进去，然后等着地震⋯⋯

以前，我通过观察一个人对笑话的反应来察觉他是什么样的人，是偏语言类的，还是偏性压抑类的，抑或偏种族歧视类的。

其实，还有很多方法来区别不同的人。比如之前提到的"人会为什么事情而哭"——有些人看见某个人就会号啕大哭，这种情况我已经见过无数次了。

有一次，我、我的助手和一位会针灸的和尚，三人坐在那里聊天，谈针灸，谈这位和尚如何给别人治病，当时我并没有觉得有任何异样的地方。突然，我的助手号啕大哭、泣不成声。于是，这位和尚给他扎了两针，他就开始狂吐，吐出了许多都不知道从哪里来的各种颜色的痰。我非常诧异。

还有一位朋友，他对我的态度几乎算得上是嗤之以鼻，而且我似乎没有见过他对任何人保持某种谦卑和尊重，就连装也不装一下，他认为这才是"真我"的表现。但是，我却发现他在听某位老师讲课的时候，竟然饱含热泪。

　　而我的一次经历也成了一个笑话。在江苏卫视的《最强大脑》上，当看见那个貌似傻傻的男孩周玮用天才般的方法算出极难的题，但他又那么笨拙，一副不谙世事的样子，我真的没有忍住，流下了热泪。

　　每个人的泪点都不一样，其实，借由我们的笑点和泪点，就可以大致看出我们是什么样的人。

不仅仅是为了快乐

还有一种很隐秘却是自我觉察的好方法，那就是我们讨厌什么样的人。当然，有些人对什么人都讨厌，那只能说明他的"厌点"比较低。我就认识一些这样的人，他们看什么都不顺眼。当然，这种人也不是坏人，也许仅仅因为他的星座。

我发现一个很有趣的现象，许多女青年对自己的母亲就抱有这样的情绪。令我感到奇怪的是，大概60%以上的女青年都会以这样或者那样的方式，来表达自己对母亲的不满。起码在人生的某个阶段，她们是这样的。当然，如果这个人不是自己的亲妈，而是老公的亲妈，那么这种情绪就更加明显了。其实，对于自己不喜欢的人的觉察，是对自己很重要的发现。

在《不是为了快乐》这本书里，有一段话讲得特别好："以'如何与自己不喜欢的人相处'为例，虽然大多数人不会有深仇大恨的仇家，但总会与令自己厌烦的人打交道……你可以仿效阿底峡尊者。尊者前往西藏时，他带了一个令人极度厌烦的人作为他的随行侍者，以便让自己有充分的机会修持安忍。"

这其实是一个很重要的洞察。只要能够引发你情绪的东西，不管是高兴、悲伤、厌恶，还是愤怒，其实都是那个帮助你看见自己意识底层代码的真相乍现的时刻（the moment of truth）。

除了快乐以外，我们大部分人都把这些情绪视为很糟糕的情况，而且尽量避免它们。我们总是希望借由对愤怒、厌恶、悲伤情绪的疏远来达到离苦得乐的状态，并产生幸福、快乐的错觉。

其实，我们不是为了追求快乐，或者不仅仅是为了追求快乐。**更多的时候，我们需要做的是解脱，需要知**

道自己究竟为什么会为某些事情而颤抖、为某些事情而浑身发麻、为某些事情而悲伤，以及一看到某些人就厌恶。你要知道这些时刻都是极其宝贵的人生礼物。如果开始启动自我觉察这个计划的话，你就会开始对自己采取行动，提升自我灵魂的高度，让自己成为解脱的人。

其实，我想跟大家分享的就是想要了解自己、孩子或者身边的人，最好的方法就是发现此人情绪出现巨大波动的时刻，去观察它、了解它、呈现它并反转它。

不过，为这些事情感到厌恶、愤怒，是在情绪而不是知识上。当这种情绪出现的时刻，一定要保持观察，甚至是隐隐地高兴，因为这距离你解脱——从周而复始的惯性情绪当中解脱出来不远了。

你有没有发觉父母在什么时候最令你不耐烦？这种不耐烦代表了你内在的什么？如果你不知道的话，我可以百分之一万地告诉你，再过三十年，你的儿子或者女儿会以同样的方式，变本加厉地把他们的不耐烦"回馈"给你。

一言以蔽之，一切交流的本质，都来自六字箴言『先迎合，后引导』。

第六章

如何与看不见
自己过失的人相处

颜阖将傅卫灵公太子，而问于蘧伯玉曰：『有人于此，其德天杀。与之为无方，则危吾国；与之为有方，则危吾身。其知适足以知人之过，而不知其所以过。若然者，吾奈之何？』

蘧伯玉曰：『善哉问乎！戒之，慎之，正女身也哉！形莫若就，心莫若和。虽然，之二者有患。就不欲入，和不欲出。形就而入，且为颠为灭，为崩为蹶；心和而出，且为声为名，为妖为孽。彼且为婴儿，亦与之为婴儿；彼且为无町畦，亦与之为无町畦；彼且为无崖，亦与之为无崖；达之，入于无疵。

『汝不知夫螳螂乎？怒其臂以当车辙，不知其不胜任也，是其才之美者也。戒之，慎之，积伐而美者以犯之，几矣！

『汝不知夫养虎者乎？不敢以生物与之，为其杀之之怒也；不敢以全物与之，为其决之之怒也。时其饥饱，达其怒心。虎之与人异类，而媚养己者，顺也；故其杀者，逆也。

『夫爱马者，以筐盛矢，以蜄盛溺。适有蚊虻仆缘，而拊之不时，则缺衔、毁首、碎胸。意有所至，而爱有所亡。可不慎邪！』

如果你不理解"人心惟危"，
就会经常活在危险之中

《人间世》这一篇，基本上就是庄子关于"如何与人沟通相处"的见解。

"道心惟微，人心惟危"。这两句说的是人心是非常险恶的，就如我前面分享的一样，庄子认为，"这就是人性"。如果你不理解"人心惟危"这个道理，就会生活在危险之中。

庄子叙述完孔子和颜回、孔子和叶公子高的对话以后，又讲了另外一个人的故事。

颜阖是鲁国的贤人，他被邀请去做卫灵公太子的师父。在古代，许多知识分子一辈子的人生追求，就是做太子的老师，但其实这是很危险的，因为你不知道这个孩子将来会怎样，甚至在教育他的过程中，如果他父亲（皇帝）的教育理念和你的不一样，那么这位父亲又会心生什么样的怨恨。

现在，我们生活在和平、民主、讲究人权的消费者时代，大不了我们不干这份工作了。

但那是春秋战国时期，对一个君王来说，他要杀死一个人就跟捏死一只虫一样简单，甚至他会把杀人这件事情当成一种管理的工具。

当年，孙武在训练士兵的时候，为了震慑一帮女兵，活生生地就把君王当时最喜欢的女人的拦腰斩了。试想一下，如果看着上一秒钟还非常亲密地一起吃喝玩乐的朋友，下一秒钟已经被砍成两段，这会给人们带来什么样的威慑力？

颜阖不知道自己是否能够接受这份工作，便去请教卫国的大夫蘧伯玉。不过，颜阖又不能指名道姓地说得很直接，只有说："现在有一个人，天性喜欢杀人。如果任由他没有法度地去做事情，以后他就会危害国家、危害人民；如果用法度去约束他的话，他马上就会反过来危害我。这人很聪明，能够很快就发现别人的过失，而且针针见血。但是，他看不见自己的过失。像这样的人，我该如何去教化他呢？"

颜阖说的这个人，大概就是卫灵公的太子吧，也有可能指的是卫灵公。总之，这是一份令人既想接受又害怕，可能会带来荣华富贵又可能会引来杀身之祸的工作。

世界上的事情总是这样——富贵险中求，要想发达、彪炳千秋，成为君王儿子或未来君王的老师，不得不考虑如是问题。

蘧伯玉曰："善哉问乎！"

他说："Good question! 你问了一个好问题。"

我发现一个特别有意思的现象，好的文章一定是

问出来的。你看，各种经书都是某个菩萨或者尊者，祖露右肩、单膝点地，然后提了一个问题。于是，佛陀就说："善哉善哉，善男子（善女子），你问了一个好问题。"是不是一模一样？

当时蘧伯玉怎么回答的呢？他说："你应当先有警戒心，随时观察自己会不会有过失。与人沟通的时候要做到亲近，在心里充满和顺。但仅仅是这样，还是有危险的。"

其中，"戒之，慎之，正女身也哉"，就是指要随时警戒自己，处事随时要谨慎。而我们这一辈子很难做到"戒之""慎之"。这是庄子在《人间世》中给我们的重要提醒。

看到此，大家千万不要认为这段故事说的是古代的事情。从某种程度上来说，当你在家里面照看你的"太子""公主"的时候，他们其实可能就和古代这些君王的"德行"是一样的。

现如今，哪家的孩子不是"小皇帝"呀？在心态上，他们基本上是想要什么就能要到什么，而父母也在有意无意地以孩子的"仆人"自居。

从本质上来说，**这个故事讨论的就是一个关于养尊处优、天性泛滥的孩子的教育问题。**各位为人父母或即将为人父母者，都可以认真地看看蘧伯玉是怎么解决这个问题的。

他说："如果你外在对其表现得很亲近，总是对他很柔和的话，他必定要失败，要毁灭，因为他就会随性去作恶。由于他的角色使然，一旦做了国王，他会祸害国家。如果你心里的和顺外化成为美德的话，他就必定会妒忌你——你这个人怎么能这么好？"

我实在不明白，为什么有那么多人喜欢在微信朋友圈里，分享自己万分之一时刻的美好生活，或者是想象出来的美好生活。然后，把相机举得高高的，把自己的脸拍得小小的，若隐若现地露出衬衣第二个纽扣下面若有若无的肌肉——本来就没有，还要去炫耀，当然会引发仇恨。

所以，管理这样的孩子，以及他期望的未来和人生，是非常危险的。如果你对他严格要求呢，他会心生对抗，就像正直且严厉的妈妈培养出的孩子都会在成长的过程中出现逆反期，让她们备受伤害。那么，该怎么办呢？

其实，蘧伯玉和颜阖的对话反映出了儿童教育的两难之境，尤其是现代儿童教育。任其天性发展，必将成为烂人；严加管教，必然使自己痛苦万分。因为你在对他严加管教的时候，就是在做一件事情——螳臂当车。（庄子在这里引述了一个著名故事中的情景，后来就被引申为成语"螳臂当车"：一只螳螂，误以为自己的手臂可以挡住车轮的碾压。）

很多父母就像螳螂一样，误以为可以通过自己对孩子的呵斥或要求，挡住他们累生累世的习气，以及天性当中的野性。你看，庄子居然用"螳臂当车"去形容彼此之间力量的悬殊。毕竟，一个内在狂野的人，可能很难被收敛。

儿童的教育问题，
就是如何去处理其天性的问题

有时候，我会去幼儿园看孩子。我发现，在五十个孩子当中总会有一个或两个孩子，他们具有天生的狂野和领导才能，他们知道怎么在一群孩子中变成孩子王，这恐怕也不是他们父母能够教育出来的——**在很大程度上，那种天生成为领袖的人，他们自己的父母并不是领导。他们就是天生的孩子王，这就是天性。**

另外，从 Paul Maclean 提出的"三重脑"假说可知，人类的大脑分为把行动物脑、古哺乳动物脑和新哺乳动物脑三个部分。每个"脑"各司其职。由此我们可以看出，任何一个人，首先是一个动物，不管他已经被驯化了多少代，他总会有欲望爆发的时刻，就像你去喂一只老虎，喂生的不行、喂熟的不行、喂活的不行、喂早了不行、喂晚了不行……

庄子在这个时候也引述了喂老虎的故事。**从某种程度上来说，我们对待孩子的天性，就像螳螂对待大的车轮、喂老虎的人面对老虎。**

也不知道是因为教化还是食物的原因，许多中国人的天性从小就没有得以释放。尤其是 60 后、70 后的人，在年轻的时候，有些人连饭都没吃饱，从小就没有穿过一件合体的衣服，要不就是穿哥哥姐姐的旧衣服，要不就是妈妈特意在买新衣服时买大三码，而三年之后刚刚合体时，衣服已经穿烂了……他们在成长过程中，天性是被压抑的。

现在的孩子可跟以前不一样了。从总体上来说，90 后已经是没有匮乏感的一代了，而我们以前是有匮乏感的。

所以，我们后来就算吃饱饭，穿上合体的衣服，也总觉得这事儿不靠谱——行吗？我配吗？我值得吗？我值得穿这么合体的衣服吗？我吃得这么好，太堕落了吧？太危险了吧？太不应该了吧？我何德何能？我们总会不自觉地发出这样的声音。

但是，90后、00后，甚至10后的孩子，他们不是这样的。他们出生的时候，就已经享受到改革开放GDP给他们带来的红利。他们的父母也接受一种所谓尊重人性的教育，所以他们更像动物。

现在，假如你是一个养老虎的人，当你碰见一只小老虎的时候，该怎么办？

庄子在后面又举了一个例子：一个人很喜欢马，就按自己觉得好的方式，用竹筐去接马粪，用珍贵的大蛤壳去接马尿。爱马爱得出奇，还帮马去拍它身上的蚊子和跳蚤。结果，这匹马受到惊吓之后，咬断了嘴里面的缰绳，然后把头上和胸上的装饰物一起毁灭掉，发起脾气的时候，早已忘记爱护它的人的良苦用心。其实，这些故事都是在讲父母面对儿童教育时的种种幻化情境。

世界变了吗？变得很多；说世界没怎么变吧，也真没有什么变化。那么，面对像动物一样的孩子，家长该如何是好呢？

从本质上来说，儿童的教育问题，就是如何去处理其天性的问题，就是一个已经被社会化改造过的人，如何与一个还有天性的"小野兽"之间交流的过程。如果你没有意识到这一点，那么儿童教育对你来说将会非常困难。

那么，到底蘧伯玉给颜阖开了一个什么样的处方呢？我们又该如何去交流，并逐步把一个充满野性的孩子引导上正途且自己不受到伤害呢？

这些就是去解答如何一步一步地慢慢将你的孩子引入一个既维护他们的天性，又让他们学会社会化，并且重点是跟你的关系还很融洽，不会因为教育他们而把自己气到脑溢血、心脏病突发的地步。

一切交流的本质都是"先迎合，后引导"

颜阖在去做卫灵公太子的老师之前向蘧伯玉请教，如何与这个"小野兽"相处？在古代，这是个案；在今天，这就是普遍现象。我们如何与家里的"小野兽"相处呢？儿童教育的本质在哪里？

蘧伯玉开出的方子很有意思，他说："如果他天真烂漫，你就跟他一起天真烂漫；如果他愚钝无理，你就跟他一起愚钝无理；如果他放荡不羁，你也跟他一样放荡不羁；然后，再慢慢地把他引到正途。"

此话怎讲？一言以蔽之，一切交流的本质，都来自

六字箴言"先迎合，后引导"。

我听说市面上有一种脑波助眠的仪器。在睡觉的时候，每个人的脑波应该在某个频率——假设是 B 频率，那么人清醒的时候就是在 A 频率。

这款设备的原理就是先检测人的脑波，比如测到的是 A 频率，设备就会先用 A 频率与你现在清醒的状态合拍。不知不觉中，两个频率就合成了。然后，它一点一点地调，慢慢慢慢地，调到该睡觉的 B 频率上。你是不是觉得这款设备的原理与蘧伯玉讲的道理类似呢？

现在回想起来，对我影响较大且真正教导我的，都是在小时候能够跟我玩儿到一起的人，我们互为知己。我与一位年轻的长辈（类似于表哥或堂哥）的关系就是这样。

小的时候，剪纸和"火柴盒"是我们经常玩儿的东西。剪纸就是把《三国演义》画册里面的人物——比如骑着马、拿着刀的关羽——从纸上剪下来。我们互相吹对方的剪纸，如果谁剪的"刀"砍在了对方人物脸上的话，他就赢了。那时候，如果一幅剪纸的马大、人小，且棍棒很长，那真的是一件非常厉害的"武器"。

"火柴盒"其实不是真正的火柴盒，而是烟盒。把烟盒的纸叠成有点儿弯的船形，然后拿手去扇。如果谁把对方的"火柴盒"扇翻过来的话，就算他赢。现在，这些最好的东西都不知道去哪儿了，但在那个时候，我极其珍惜它们。

我那位年轻的长辈常常和我分享他最好的东西。所以，我心里对他既喜欢，又崇拜，又亲近。后来，他跟我讲的很多东西都深深地植入我的脑海，直到今天，仍然在这本书中发挥作用。

由此可知，**儿童教育的开始并不是去教育，而是首先让成年人成为儿童。**

有很多貌似"弱智"的游戏，你觉得玩儿起来没有意思。但是，如果和儿童在一起玩儿，那就很有意思。因为他们会认为，你跟他们是一"国"的。

从前，有一个王子疯了，他躲在柜子底下，认为自己是一只鸡，他要像鸡那样生活。对此，所有医生和老师都束手无策。这个时候，来了一位远方的高人，他说："我来试试。"

他做的第一件事，就是跟鸡一样发出"咯咯咯咯"的声音，然后走到王子面前跟他交流："他们都不知道，其实我也是一只鸡。"于是，这两只"鸡"就开始聊起来了。一开始，王子感觉自己不被他人理解，所以充满极其强烈的愤怒和对抗情绪——世人皆人，唯我是鸡。

然而，在强烈对抗的时候，他发现有一个同类。于是，他就跟这个远道而来、号称也是"鸡"的人相谈甚欢。聊着聊着，这只远道而来的"鸡"居然拿了一件人的衣服穿上。

王子问："你怎么能够穿人的衣服呢？"那人说："嘘，我骗他们的。虽然我是只鸡，但我可以装作人，跟他们玩儿，你也试试看啊。"

之前，王子已经把衣服全脱了，身上披着羽毛，觉得还挺好玩儿的。现在，他听从这只老"鸡"的意见，穿上了人的衣服。

后来，那个人又说："我们也可以吃一些牛排或其他动物的肉。"王子说："鸡怎么能吃肉呢？"那个人就煞有介事地对王子说："作为一只体验各种生活的鸡，应该了解一下人是怎样去感受生活的。"

于是，慢慢慢慢慢慢地，这个认为自己是一只鸡的王子被带了出来，重新"演"了一个人，最后还自鸣得意地觉得"我就是一只长得像人的'鸡'"，到最后他也分不清楚自己到底是长得像鸡的人还是长得像人的"鸡"。时间长了，他也就回归了人类社会。

小梁认为，这个故事非常具有代表性。开始的时候，你觉得自己跟别人不一样，就会心生对抗。

如果有一个人说，他跟你是一样的，他和你一起共同对抗这个世界，然后慢慢慢慢地让你去理解并融入这个社会，或许时间长了，你也就真的完成了这个过程。其实，这就是儿童教育的本质。**关键是在这个过程当中，没有对抗。**

其实，所有对抗和恐惧都是心智习惯。习惯性的恐惧就变成了"恐"，习惯性的对抗就变成了"嗔"。

一个有价值的人，可能仅仅是因为
他没有习惯性对抗的心智模式

在现实生活中，我们会发现有一些人总是喜欢跟别人对抗。无论你说任何事情——哪怕他们受过很好的教育，他们都会点头说："是的，但是……"

他们的重点是"但是"后面的内容，他们就是要显得跟你不一样。这就是"我嗔"。"嗔"就是对抗的心智习惯，可以称之为"习惯性对抗"。

儿童教育，不仅是要教育他们如何进入社会、如何学会谋生的技能、如何发现自我、如何证得空性……最

重要的是，起码让他们不要建立起对抗性的习惯。

据我的观察，在某些家庭里面，妈妈总是扮演正直的角色，会和孩子有对抗；爸爸比较"狡猾"，因为工作忙，他们总是抓紧时间用各种方法来跟孩子玩乐，互为"玩具"，或者和孩子跑出去，到外面玩耍。

所以，一旦有事儿需要沟通的时候，孩子和妈妈之间就可能以对抗的方式来进行，而他们和爸爸就对抗不起来。

其实，这是一个非常大的遗憾。**如果一个孩子从小就悄悄地被高智商和高情商的父母引导进入一个更好的生命状态，而在这个过程中没有形成所谓对抗性的心智模式的话，他长大之后就是一个活得不那么纠结的人。**

有很多自作聪明的人，就是喜欢说"但是"来有意无意地刷存在感，为了跟别人不一样，为了对抗而对抗，所以他们屡屡受到反作用力的伤害。

想想看，如果有一个人在你面前总是以开放的态度接受你的想法，然后慢慢慢慢地你发现自己所说的话和所想的事情，居然如此深刻地受他的影响而不自知，你难道不觉得那个人很厉害吗？

有一位 IT 公司的老总，在通常情况下，他都不以批评、呵斥、棒喝等方式和他的下属进行沟通，但最终他总能够让同事们找到一条双方都认同，而且符合产业发展方向的道路。

一开始，大家都认为这是因为老板性格很好。后来，大家才知道也许是他的原生家庭引导他成长为一个没有太多对抗性的人。

从理论上来说，如果我们能够深刻地体会《庄子》并理解这个故事的话，我们这一辈子是很难去讨厌或者憎恨一个人的，因为我们没有这个习惯。

如果有一个这样的朋友在你身边，哪怕他不会开车，哪怕他长得不是很好看，哪怕他的能力不是很强，但他的温和不是装出来的，而是他真的不知道怎么跟你对抗，他只是暖暖地、温和地与你融洽相处。但是，慢慢慢慢地，他用自己的方式跟你调频，成为与你达成共识的人，你得多喜欢这个人呐！

这和技术变革有关吗？这和科技发展有关吗？这和 O2O 有关吗？这和 EMBA 有关吗？没有关系。

一个有价值的人，可能仅仅是因为他是一个没有习惯性对抗的心智模式的人而已。这种人，想要不成功，都难。

如果你没有体验过动物的感觉，就很难理解什么叫"活该""应该"

在前面一节里，庄子借由蘧伯玉和颜阖的对话，讲述了儿童是具有强大动物性的。庄子明确地告诉我们，**一切儿童教育，首先是尊重并释放孩子们的动物性——天性，然后逐步"先迎合，后引导"，最后完成其社会化的过程。**

我曾经旁观过一次关于身心灵的课程，这个课程脱胎于某种戏剧教育——里面有一些模仿动物的练习。比如，把自己想象成一匹狼。当你把背弓起来，像狼一样匍匐在丛林中的时候，你会发现自己身体里一种隐隐的生命原始能量被激发出来了。

当这个课程进行到某个阶段的时候，老师就鼓励同学像狼一样"呜呜"嚎叫。这让在旁边看热闹的我匪夷所思、惊慌失措，我觉得这些人真是"有毛病"。

后来，一个全程体验过课程的朋友跟我分享上课的感受，我才发现自己可能误会了，下面是他的分享：

"如果没有让自己体验过动物的感觉，你可能很难理解什么叫'活该'，什么叫'应该'，尤其是像我们这一辈人，从小活在被别人教育应该这样、应该那样的环境里，几乎没有接受过天性教育。"

虽然我出生在攀枝花这个小城市，但毕竟也不是"原始森林"。作为工矿子弟小学的孩子，我从小生活在家属院里面，也没有体会过更多与自然相关的东西。

我的朋友说："如果你体会过像猫一样地爬，像鸟一样地站在树枝上——当然，是选择一根比较粗的树枝，甚至玩滑翔机从悬崖边飞出去，然后像鹰一样在天上盘旋翱翔的时候，你会感受到一种很'奇怪'的生命的原始张力。之后，你就会发现人生中原来很多事其实没有什么好纠结的。"

他说得很对。实际上，所谓"纠结"都是你认为的"应该"和"活该"之间打架的结果，而那个"活该"又常常被隐藏了。

那么，什么叫"活该"？孔子说"食色，性也"。一个长期在食物上压抑自己，天天想着红烧肉而不敢吃的人，终将有一天完全放弃自己的原则，把自己吃到内伤为止；一个身体欲望长期被压抑的人冲动起来，相信也能够让西门大官人感到汗颜。这些都是天性被过度压抑的后果。

现在，我们很多人要承担起教育儿女的重担。其实，我们还需要补习一门功课，就是重新为自己的生命补课。

一个成年人如果觉察到不但孩子需要和大自然更亲近，而且他自己也需要的话，他完全可以跟随自己的孩子重新过一遍释放天性的生活。

绝大部分人活得不好，
主要是一些"天性"没有释放完

　　我有一个同事——小智哥，他有一天给我讲他家的狗相当调皮，一度让人崩溃，于是家里人把它送到专业教练那里。教练说他家的狗体能好，先放养一周，让它七天内能够天天释放天性再说。于是，就开始了大时段奔跑放养。结果，狗狗到第二周突然变得非常听话——"温良恭俭让"。

　　狗且如此，更何况人呢？其实，**绝大部分人这辈子没有活得很好，主要就是其天性——动物性没有释放完，毒没有排空而已。**

在你我身边总会有一些小时候在大山里或在农村长大的人。如果他们后来学习不错，也能够很好地融入社会的话，**你会发现他们童年那些捉过蜻蜓、下过河、摸过鱼、掏过鸟蛋的生活是多么令你羡慕，而他们讲起这些经历也是那么地幸福。**

我在做《生命》系列访谈的时候，采访过一位台湾的哲学家。他跟我讲了他在抗战时期的经历。那时，他们一家人颠沛流离，一路往西撤，因为日本鬼子就要打过来了。他说，就算是在那样一个兵荒马乱的年代，偶尔片刻的宁静也会让人感到很幸福（那时的乡村仍然有池塘、蜻蜓和青蛙）。

作为一个后来成为影响力遍布世界的哲学家，他认为在战乱的童年时代，在那些宁静的夜晚听到的蛙鸣声，看见的红蜻蜓交配的样子、蝌蚪游来游去的情景，甚至驴发情时兴奋的神态，构成了他人格当中最重要的一环。

有一年，正安私塾做了一个挺有趣的课程，组织一帮 4~7 岁的小朋友去西双版纳。其中一个环节就是要求他们在傍晚的时候穿越一片原始森林。当时，天色渐黑，绝大部分小朋友非常害怕，因为那不是他们熟悉的生活场景。

我儿子也参加了那个课程，开始的时候，他非常害怕，必须牵着大人的手。后来，他慢慢地放开大人的手，学会独自在原始森林里面走。最后，穿过那片原始森林的时候，他的兴奋和快乐，绝对是电子游戏给不了的。更重要的是，在未来他成为大人的时候，这段经历将极大地滋养他的生命。

将来，你肯定很难回想起小时候玩某个游戏的情景，或者某款电子产品带给你生命的影响。但是，**如果在你生命的深层烙印当中，有过一些与大自然更加亲近的状态，那么，你可能会成为一个更有魅力的人。**

有趣的是，像我们这些成年人该如何看待这一切？

我那位参加过身心灵课程的朋友说，他后来还去了非洲。当他坐着热气球目睹狮子是如何捕食一头羚羊并把它吃掉的时候，他突然产生一种强大的自由感——终于理解了在温情脉脉的、文明的社会的底层，仍然是丛林法则在决定着一切。如果一只既不会咬也不会跑的动物活在世间，其实也是一种悲剧吧。

这恰恰就是庄子分享给我们的一种态度，活着并不是要隐忍，而是要了解、观察并接受自己天性的一面，然后再疾驰，发展出不对抗的性格，最后发展出自己社会化的一面。

有机会就带你的孩子去非洲，起码去广州动物园看一看吧。

很多时候，我们都会不小心把手段当作目标，而『无用』只不过是手段比较标配的方法之一，本身并不是目的。

第七章

『有用』和『无用』
都是达成目标的手段

曰：『密！若无言！彼亦直寄焉，以为不知己者诟厉也。不为社者，且几有翦乎！且也，彼其所保与众异，而以义喻之，不亦远乎？』

匠石之齐，至于曲辕，见栎社树。其大蔽数千牛，絜之百围，其高临山十仞而后有枝，其可以为舟者旁十数。观者如市，匠伯不顾，遂行不辍。

弟子厌观之，走及匠石，曰：『自吾执斧斤以随夫子，未尝见材如此其美也。先生不肯视，行不辍，何邪？』

曰：『已矣，勿言之矣！散木也，以为舟则沈，以为棺椁则速腐，以为器则速毁，以为门户则液橘，以为柱则蠹，是不材之木也。无所可用，故能若是之寿。』

匠石归，栎社见梦曰：『女将恶乎比予哉？若将比予于文木邪？夫柤梨橘柚果蓏之属，实熟则剥，剥则辱。大枝折，小枝泄。此以其能苦其生者也。故不终其天年而中道夭，自掊击于世俗者也。物莫不若是。且予求无所可用久矣！几死，乃今得之，为予大用。使予也而有用，且得有此大也邪？且也，若与予也皆物也，奈何哉其相物也？而几死之散人，又恶知散木！』

匠石觉而诊其梦。弟子曰：『趣取无用，则为社何邪？』

看上去一无所用的树木，
其真正有用之处在哪

庄子接下来又讲了一个故事：一位叫"石"的木匠（很可乐，就像一个叫"冬"却很热情的人一样）前往齐国，到了曲辕，看见一棵被当地人拜为土地神的栎树，这棵栎树的树冠真的好大呀，大到可以为数千头牛来遮阴。

在广东，有一个"小鸟天堂"——一棵长于明末清初的水榕树，树枝垂到地上，扎入土中，长出了新的树干，慢慢地大榕树独木成林，甚至变成了一片"森林"。

说起来，一家公司也有可能变成一个生态环境。比如，腾讯、阿里巴巴甚至小米，表面上它们是单个的公司，其

实公司"生"公司，公司和公司之间互相关联，就成了一片
"森林"。

　　故事中，这棵树"絜之百围"（围意为两手合抱。用绳
子一量足有一百多围），树梢高出山头，人要站在距离地面
"十仞"（大约 26.667 米）的地方才看得见它的分杈，这些
旁枝有十来支，能用来造船。按道理说，旁枝一般是很
窄很小的，但这棵树的旁枝就有十多支可以用来做大
船。这真是上古时期一件大自然的美妙造物。

　　观赏的人，像赶集似的熙熙攘攘。但是，这位叫
"石"的木匠连看都不看，不停地往前走。他的徒弟站
在旁边看了个够，然后追上石，说："自打我拿起刀斧
跟随先生，从未见过如此高大的树木，而先生却不肯看
一眼，只顾往前走，这是为什么呢？"

　　石说："算了，不要再提它了，它是一棵没用的闲散
之木。如果用它来做船，就会沉没；做成棺材，就会腐
烂；做成器皿，就会坏掉；做成门框，连缝都合不上；
做成柱子，会被虫蛀，这不材之才，没什么用。所以，
它才能活到现在，如此长寿。"

石回到家里面，梦见这棵树对他说："你拿什么东西来跟我比较呢？梨树、橘树、柚子树……这些果树的果子熟了以后，树干就会被敲打，由此遭受摧残，大树枝会被折断，小树枝会被扯下来。正是因为它们能够结出鲜美的果实，才苦了自己一生，所以常常不能够享其天年而半途夭折，自讨世人的打击。"

实熟则剥，剥则辱。大枝折，小枝泄。此以其能苦其生者也。故不终其天年而中道夭，自掊击于世俗者也。物莫不若是。

总之，这棵树说的是："如果你拿那些东西来对比我的话，你怎么能够懂得我这个一无所用的树木的真正有用之处呢？"

石醒来之后，就把他的梦告诉他的学生。他的学生说："既然它是在求无用，为什么又要去做社树呢？"

社是社会的"社"，就是供人聚会的地方。"社会"这个词很有意思。以前，农村唱社戏，到一段时间，就会把人聚集在一起看戏。后来，日本人将其引申为"结社"，到了一定时间大家聚在一起社交（social），这个词就被翻译成"社会"（society）。然后，把社会和聚集到一起的公司形态进行置换，所以叫"株式会社"。

在古代，需要一个象征物让大家准时准点到某个地方聚会，男青年到那里去找女青年，女青年到那里去找男青年。或者，做买卖的双方在那里进行物物交换。

当听到弟子说这棵树既然追求"无用"，为什么还要去做社树的时候，石说："Shut up! 别说了。它做社树只不过是挂个招牌以保全自己罢了，反而招致那些不知情者的非议，假如不做社树，它也难免砍伐之灾，况且，它用来保全自己的方法与众不同，你却用常理或者一般人的方法来理解它，那不是差得太远了吗？"

大家都看过以上故事，也都知道"无用"或者"不刷存在感的用"可以让一个人长久。但是，庄子为什么要在那样一个"无用"的梦之后，加上学生的提问呢？

很多时候，
我们都会不小心把手段当作目标

以前，在读这段的时候，我不太了解其意。现在，我发现庄子根本就不是一个推崇"无用"的人。

"无用"这句话很容易把我们引入歧途，好像"无用"就是待着，尽可能地待着。不是的，那只是手段。**终极目标还是要通过没有攻击性的、谦逊的，甚至是显得没有价值的、在自尊上毫无帮助的生命状态来达到——活着——在这样的目标之下，你可以选择"无用"或者有一点点用，比如成为一棵社树。很多时候，我们都会不小心把手段当作目标，而"无用"只不过**

是手段——比较标配的方法之一，本身并不是目的。

我听过宗萨蒋扬钦哲仁波切的一段分享，他说："从某种程度上来说，慈悲、欢喜、吉祥、自在、善恶，甚至所谓一些佛教里用的'轮回'，都是不了义的。"相对于了义而言，不了义，讲的是在相对世界里面讨论的问题，但终将有一天，我们要超越这种相对时间，去到了义。

我就很好奇地问他："什么叫作'了义'？"他说："就是解脱"。我又问："那么，怎样才能解脱呢？"

他沉默了一下，举了一个例子："佛陀在正悟的时候，是无语的，说不出来的，因为一说就必然会落入到某一方面去，就偏狭了。而将其涌在喉咙的那种状态是中立的，是知道无所谓不存在的。"

但是，我还是继续问他："到底什么是'了义'？"

宗萨蒋扬钦哲仁波切说："我努力试着说说，**'了义'大致是你知道世界唯一的确定性就是不确定，你知道世界的意义很可能终究是无意义的，是涅槃寂静的，**

是诸法空相的，是你不需要被一切所束缚和绑架的，甚至不追求快乐的。"

所以，他有本书就叫《不是为了快乐》。

在小梁看来，真的很是欢喜，因为我在他分享的这些东西里面，看到的全是《庄子》中提到的话题。于是，一个新的问题就来了。

如果开心也没啥意思，吃肥肠也没啥意思，就像《武林外传》里面的一首歌唱的"你是不是饿得慌呀，呀呵依呵嘿你要是真的饿得慌，湘玉给你熘肥肠，湘玉给你熘肥肠"。如果连熘肥肠你都觉得没意思，那解脱又有什么意思呢？

我告诉你，其实还是有意思的。

一个痛风病患者会告诉你：要是你真的不能解脱和超越对熘肥肠的执着，那么就算认识全中国最好的医生、吃最好的药也没用。

这个故事就是讲一个道理——真正最大的"用"就

是要超越这一切，并且了解这一切都不会给你带来不快乐——快乐倒不一定是值得追求的事情，就像那棵栎树所说，世人认为的"有用"是能够做桌子、做板凳，但这些没什么意思，甚至"无用"本身的名号也没有什么意思，这都只是为了追求一种叫"长生久视"的状态。

庄子几乎用他的思想做到了这一点，不是吗？虽然他已经死了，但他永远活在人们的心中。

对于这则故事，南老总结出这段话："我们还在研究《人间世》，还没有跳出人世的范围。在庄子的观点，就是告诉我们怎么样处事做人。老子处世为人的方法，就是'曲则全'三个字，拿现在的观念，也可以说是为人处世的一种艺术。"

拥有那些大家都希望拥有的东西，将会成为一个很大的负担。

第八章

对于拥有的保持敬畏，

对于想要的保持淡定

支离疏者，颐隐于脐，肩高于顶，会撮指天，五管在上，两髀为胁。挫针治繲，足以糊口；鼓筴播精，足以食十人。上征武士，则支离攘臂而游于其间；上有大役，则支离以有常疾不受功；上与病者粟，则受三钟与十束薪。夫支离其形者，犹足以养其身，终其天年，又况支离其德者乎！

一个肢体不全、
志大才疏的人，也能活得好好的

在本节里，庄子又讲到一个人——支离疏，这是一个虚拟人物，跟"达康书记"一样是假设的名字。"支离"，隐含了身体不全的意思——支离破碎；"疏"，又隐含了泯灭其智的意思——志大才疏。大致来说，"支离疏"这个名字本身就已经蕴含形体不全以及智慧混沌的状态。

支离疏的下巴隐藏在肚脐以下，两个肩膀高过头顶，后脑的发髻指向天空。两条大腿和两边的胸肋并生在一起，就像《机器人总动员》中的主人公瓦力那样。

但是，支离疏能动，他给人家缝衣浆洗，也能够糊口度日，又帮人家筛糠打米，也可以养活十口人。政府征兵打仗的时候，支离疏甩手前行而不用躲避，因为那些来征兵的人看都不会看他一眼，所以他不用躲起来。政府有大的徭役时，支离疏也由于身有残疾而免除劳役（徭役是古时候政府向人民收取的劳动税，基本上是人民为政府和国家以几乎免费的形式付出劳动）。

但是，有时候政府也会向残疾人派发救济粮食，支离疏还能领到三钟（古代粮食计量单位）米和十捆柴草。像支离疏那样形体残缺不全的人都可以养活自己，终享天年，更何况那些连自己有没有德行都忘记的人呢！

庄子生活在一个"国家恐怖主义"时代——政府可以随时把一个人砍了，权贵可以强抢民女，人的生命有如草芥，估计平均寿命都不到四十岁。在庄子生活的年代，人能活到四十岁已经算是终年了，能够活过四十岁就叫"赚回本儿"。

但是，就是这么一个支离疏，如此不堪，如此不符合主流审美观，不是主流社会所认为的"有用"之人，却可以终享天年。他在打仗的时候不用害怕被征兵，还可以拿到政府派发的救济粮。凭着这样的能力和状态，他竟然可以养活十口人。

这就是庄子时代的支离疏。

南老曾说："要怪嘛，也要怪得有个样子，许多青年人本事没有，脾气非常怪，那个样子不行的，那会变成白额头的猪，上祭坛不能用，只好把你做腊肉火腿用了，就把你腌掉的。所以，像支离疏这样嘛，这个人就有用了。"

未来，你的实际收入
与不努力的人差不太多

对我们现代人来说，支离疏这个人能带给我们什么样的启发呢？

再过几年，可能区块链技术就会真正应用到货币发行当中。有一天，某人就会告诉你，或许你所有的钱都必须换成基于区块链技术的电子货币，被发行出来的每一块钱都可以被追踪到，包括你拿到的每一块钱是怎么来的，你花出去的每一块钱都去了哪里。

大家都知道，比特币就是一个基于区块链技术的算法，所以它可以追踪每笔消费。也就是说，每一秒钟电子记账本都会更新，会随着每一笔交易产生变化，而全世界所有的电子记账本都会因此重新调整。

如果这个技术得以成熟的话，你就会发现自己赚的每一分钱可能都需要交税。很努力赚钱的人，不管用什么方式得来的金钱，都意味着未必能够获得与付出成本相应的回报；而没有特别赚钱能力的人，反而能够达到所谓"甜蜜点"。

事实上，在北欧一些高福利国家已经是这样的。按道理说，首相和货车司机，他们接受的教育以及发挥的作用都不太一样，但他们的工资水平差不多。

有一次，我的一位朋友在挪威的超市里面购物，埋单的时候突然发现前面的人正是他们的首相。于是，他就跟首相聊了一会儿，发现首相买的东西和他买的差不多。

在一个相对更加透明的社会，人和人的收入水平会非常接近。很努力的人，在每一分钱都可以被追踪到的时代交完税后，实际收入与不努力的人差不太多；而不努力的人，差不多也能够吃饱饭。

到那时候，人们工作只有一个原因，就是喜欢这份工作而已。

在这种背景之下，支离疏给我们最大的启示就是，可能在未来的十年、二十年，甚至三十年，一个既没特别大"用"也没坏作用的人，在他的生命资产负债表里面，快乐、健康的身体、和谐的人际关系，以及个人财富，反而能达到综合的、相对而言较高的性价比状态。而那些曾经为了赚钱而努力的人，付出的成本可能远高于他获得的回报。

亲爱的朋友们，一个时代正在来临，就是从努力地赚钱、超越他人，变成不那么努力地赚钱，也不那么努力地花钱。房子是用来住的，又不是用来炒的。可能会有一些新的房地产政策让你相信，自己囤积的那么多套房子，只会是痛苦的源泉。

拥有那些大家都希望拥有的东西，将来会成为一个很大的负担

有一天，我的邻居带我看他的仓库。他很早就知道有好多东西很有意思——鼻烟壶、油画等古玩。反正，以前看到一点儿就收着，结果现在为了保护和看守这堆东西，他要雇好几个人每天二十四小时地巡视，甚至这些看着的人也需要再用其他方式来管理。而那个仓库，冷又冷不得、热又热不得、干又干不得、湿又湿不得……这一切都让他非常痛苦。

现在，他很想找一个方法把自己当年千辛万苦从日本甚至欧洲淘回来的，像捧着一篮子鸡蛋一样捧上

飞机，甚至买头等舱的位置安放的这些东西，干脆地处理掉。

看着他的痛苦，我觉得他真的很真实。如今，要弄一个三千平方米的仓库本身就已经很不容易。

另外，他还收集各种版本和年份的竹子来做艺术品。喝茶的时候，我们突然听见"啪"的一声。他就说："竹子一裂，一百块钱没了。"话还没说完，又听到"啪啪"两声。

他说："为了让这些竹子能够保持恒温恒湿的状态，我已经花了很多钱去维持这里的温度和湿度，但仍然做不到，我快要放弃了。"

所以，**拥有那些大家都希望拥有的东西，将会成为一个很大的负担。**

拥有特别漂亮的老婆，得多让人操心啊！现在，微信、微博等社交媒体那么发达，你不可能让她在家里面"大门不出，二门不迈"，要知道社会上的坏人这么多。

　　拥有品行纯良又能赚钱、性格温和又颜值高的老公，得多让人操心啊！你觉得他好，外面一万个女人也觉得他好。存款多也让人操心，一套好房子会由于交税而让人操心……拥有的一切都会让人操心。

　　一个不追求有钱、不追求奢侈生活，把"断舍离"和"清贫"视为美学的时代正在到来。庄子是从哲学层面来思考，而我只是从税务层面做了一个遥相呼应。

　　对于拥有的一切，我们应该保持敬畏；对于梦寐以求还没有获得的一切，我们应该保持淡定。

人们都知道『有用』的用处，却不知道『无用』的用处更大。

第九章

自在的人会让自己舒服，
也让别人舒服

孔子适楚，楚狂接舆游其门曰："凤兮凤兮，何如德之衰也？来世不可待，往世不可追也。天下有道，圣人成焉；天下无道，圣人生焉。方今之时，仅免刑焉！福轻乎羽，莫之知载；祸重乎地，莫之知避。已乎，已乎！临人以德。殆乎，殆乎！画地而趋。迷阳迷阳，无伤吾行。郤曲郤曲，无伤吾足。』

山木，自寇也；膏火，自煎也。桂可食，故伐之；漆可用，故割之。人皆知有用之用，而莫知无用之用也。

长得丑有长得丑的美德，
儿女笨有笨的好处

在《人间世》里，庄子最后用孔子的故事来收尾——庄子真是一个翻手为云、覆手为雨，不会被自己绑架的人。

同一篇文章，庄子前半段还在讲孔子多么有智慧，在后半段他立刻又说孔子到楚国后，楚国的隐士接舆来到孔子的门口，说："胸怀大德的人，来到衰败的国家，没法指望了。国君昏暗，天地昏暗——在黑暗的社会，圣人充其量能够顺应潮流、苟全性命，能够免遭刑罚和羞辱就已经很好了。幸福比羽毛还轻，祸害比大地还重。得了吧，请你不要在人们面前宣扬所谓的德行。危险啊！你人为地划出一条道路让人们去跟随，其实这条路遍地荆棘。山上的树木因为其有用，所以招致砍伐；油脂能燃起烛火，所以可以照明；桂树皮芳香可以食用，就被人扒了下来。**人们都知道'有用'的用处，却不知道'无用'的用处更大。"**

此话已经讲得很明白，长得丑有长得丑的美德，起码不会受到那么多上司的骚扰；儿子笨有儿子笨的好处，干脆断了让他上奥数的心……但是，这段话可以更深层次、更极致地给我们启发。

真正的好事儿哪里是努力来的

我的一位杭州的朋友跟我分享他对抗糖尿病的心得。

此人甚会生活，常吃夜宵，从未早睡过，简直就是标准的地主样子——小时候的小人书或电影里面的那种霸占民女的"土豪"。

于是，苍天给他一剂"解药"——让他患上糖尿病。刚确诊的前三天，他还挺紧张。结果，通过一年锻炼身体，不玩古董，也不再那么追求口腹之欲，他居然瘦了下来。

某天，他去体检回来后很高兴，告诉我他的血糖已经控制住了，也瘦了。看着他变成那样，我心生羡慕。他告诉我："得了糖尿病之后，我发现不管吃什么药，最终还是要运动。"以前，他吃得多运动得少；现在，他吃得少运动得多。于是，他花的钱少了，应酬也少了，身体反而更好了。

我想，也许庄子会说："**如果你问糖尿病有什么用，其实糖尿病可以让你减肥，可以让你心存对世界的敬畏，可以让你恢复更加健康的生活方式。你说糖尿病的作用大不大？**"

其实，有好多事情都是这样的。

我另一位朋友性格温和，生活恬淡虚无。究其原因，竟然是因为他离过两次婚，并且每次都净身出户。然而，他算是中国最早一批靠智慧、勤劳与审美力赚到钱的人。当别人没有觉醒，还不知道在二线城市的郊区买房子的时候，他就已经在市中心买了很多套别墅。

不过，**男人有爱情或者有理想都是很危险的**。而他，曾经就是一个既有爱情又有理想的人。所以，在两次净身出户以后，他终于成为一个恬淡虚无的人。

他每天都在房子里打坐，发现自己也没被饿死。于是，他把公司关了。之后，他每年都做一两件小东西，后来觉得不如去做琴。因为他以前对木工活非常了解，加上他心斋已久，几于空相（佛教术语，诸法皆空之相状）。

因为古琴中间是空的，所以才能弹奏出声音。由空带来的声音震动，会带给人一种异于平常的感受。其表现之一就是，某天，这位朋友拿了一段竹子给我——他去福州玩儿的时候，花几块钱买了一段竹子背回来，用手在竹子上敲，从"嗒嗒嗒"到"哆哆哆"，一直到"咚咚咚"，一段竹子的不同部位能够发出不同的声音。他觉得很有意思，因为这就是竹子里面"空"的程度不一样而产生的结果。

这位朋友由于离婚而变得不那么有钱，却成长出自在与逍遥，这辈子不会再有想要发达的意愿，反而不求人了。

总之，他就待在家里，谁要去看他就去看。吃饭时，他将一把米扔到锅里，再扔进去一点儿自家小平房外面种的菠菜、芹菜等进去，只是撒一把盐，吃得也很高兴。结果，他反倒成为北京文化圈中的著名隐士，许多人都慕名而来。

有些晚上，安顿儿子睡觉以后，我就开车去他那里，俩人坐下，喝半小时茶后我再走。关键是，每次去他那里，我都能看见让多少人梦寐以求的文艺女青年。她们谈吐举止得当，拿着水果、蛋糕和酒，来跟他聊天。而他则只是淡淡地笑。

我很害怕他的这种状态传染给我，让我以此作为生活的方向指南。我觉得，那不符合主流价值观，要离过两次婚才能达到的状态，太贵了。

因为婚姻犹如抽烟，有害健康，没开始的话就不要轻易开始；开始之后就一定不要分开、不要割舍，因为可能有更大的问题随之而来，这是我的老师传给我的心法。

但是，我的这位朋友却用另外的方式演绎出来一种无用之用——不求之美以及很低损耗的生活，且可以以某种奇怪的方式获得一切有意思的东西。我总在他那里喝到从来没有喝过的好茶，而那些真正的好茶，都不是买回来的，一定是有人送过来的。

真正的好事儿哪里是努力来的？一定是把自己的状态调到配得上这件好事儿的时候，就会有人非要给你不可了。

自在、喜舍、轻松、快乐、以"无用"为用等，都是让自己成为一个只有那种状态的人而已。

什么是"自在"
让自己舒服,也让别人舒服

很多朋友问,你说的"自在"到底是一种什么样的状态?一言以蔽之,就是**心里面没有觉得亏欠谁,也没有特别想亲近谁,谁来了也不反对,谁走了也不留恋的状态,这就是"自在"。**

有一次,我去找蔡志忠老师喝酒,他画了一幅画送给我同事,说:"送你画前,我不欠你;送你画后,你也不欠我。"

曾经,我不太相信"自在"是有用的。后来,我越来越发现,**自在,很可能是一种隐藏在宇宙当中的神奇**

密码。也就是说，自在的人会让自己舒服，也让别人舒服，就像孔子所讲的"鬼神都来亲近你"。

于是，你似乎可以不努力就获得一切，可以用不努力的方式与这个世界舒服地相处。**有很多人睡不好觉，就是因为内在的"我"心生恐惧，而自己可能未必意识到。**

小梁就是这样的反面例子，口口声声地说"自在"。事实上，在日常生活中，我看似找到了自己的状态，但常常在梦中还是看得到自己丑陋的本来面目，那就是仍然有所求、有所恨，所以"自在"非常微妙，需要我们深深地觉察。

《开心禅》一阶的课程里面有一个无所缘的禅定方法，就是不需要借助任何道具，只需要安静下来，你就会发现自己的念头很多。

许多人都说，自己不打坐的时候还没有那么多疼痛和让人心烦的念头，打坐之后却全都出来了。其实，这只是因为在安静和觉察之后，它们就都出来了。如果现在静下来，你就可以听到空调的"呼呼"声，再安静一点儿，就可以听到外面马路上的声音，只是很多时候我们没有专心去听而已。内在的声音也是这样，听到就会显得很吵，但你再认真去觉察，这些曾经让你烦恼的声音，就会慢慢慢慢地消失。

在中医里也有类似的情况。一个高手在帮痛风病人调病的时候，会让他在初期出现类似痛风的情况，然后才能够治好他的病，或者让他的病朝着好的方向发展。当然，病人需要配合地做出生活方式的调整等。

我问我的师父李可老师："为什么会是这样？"他说："这叫'排病反应'，存在健康隐患的身体，犹如已经堆积了很多淤泥的水沟，有时候，水沟里面的水显得清澈，但能流动的水很少，因为许多地方已经被淤泥堆积。若要把这些淤泥挖开的话，在最开始的时候可能会导致水沟非常浑浊，需要过一段时间，全部淤泥都挖干净了，清澈的水才会流过去。"

回到之前讲的话题，一切看似反着来的东西，都有它正面的用处；一切看似有用的东西，都有它伤害你的地方；一切看似没用的东西，对你来说可能也是一种助缘。

这是二元对立在"不了义"层面上的理解，最终我们要超越这种二元对立，到达不在乎对和错的地方，不需要将坏事变为好事，或在好事里面看到危险，不趋利、不避害、不攀缘。

一个女人，如果能做到这样自在的话，她就会发现她的男人回来了。当然，反过来，对于一个男人来说，也是这样。

每个人，

最终都是自己和自己睡觉，

自己和自己吃饭，

这就是我们的未来。

第十章

一切都会过去，
一切都会留下来

大部分人都很想"有用"，
这种想法对吗

在庄子生活的年代，人的生存权完全得不到保障。现如今，大部分人还是很幸运的，能够活在一个相对安全的时代。如果不是太贪婪的话，对于大部分人来说，每天好好活着还是没有什么问题的。

我想在这本书里和大家分享一下我对于当今"人间世"的看法，毕竟，我们不是在学习"僵硬"的《庄子》，而是要把《庄子》的思想与我们的生活结合起来，来解决我们现在遇到的问题。

在《人间世》里面，庄子之所以鼓励大家去追求

"无用"的境界，是因为大部分人都很想"有用"。

以前，通过努力，你也许真的能够成为一个"有用"的人。而现在，令人又惊又喜的是，在这样新的"人间世"的环境下，绝大部分人会慢慢发现自己越来越"无用"。

上一次工业革命，主要是让体力劳动者的能力得以延伸，这就导致许多农民和工人失业。但是现在，他们的孩子通过学习成为知识分子，变成在各个公关公司、市场营销公司、电商公司里面"人模狗样"的白领。

然而，**人工智能的技术变革会让谁"贵"谁就受到冲击，包括交易员、律师、同声传译等职业。**我认为在不久的将来，连主播、主持人等具有某种特殊技能要求的职业都会受到很大冲击。总之，只要这项工作赚钱，就必然会受到冲击，让参与这项工作的人们从有用之人变成无用之人。

如果我是直播平台的老板，我就梦寐以求一款虚拟版的女主播，"她"既不分钱也不要脾气，身高可以从一米五到一米八，唱歌可以从低八度到高八度，还能背诵诗词歌赋，甚至可以把喜马拉雅 FM 上所有关于《道德经》《庄子》等内容的音频全部背诵一遍。

也许你会发现，真正的"人间世"正在产生变化，或者说我们看见了一个变革——从追求"无用"到不得不成为"无用"的人。

我们在学习《人间世》的时候，一定要明白，变化的是环境与技术，不变的是人性。

在一切有效率的事情上，
人注定都会输给机器

那么，人到底还有什么用？有段时间，我和老吴（吴伯凡）常常会提到这个话题。老吴知道很多道理，而且他经常引用名人名言。有一天，他引述了名人名言"人自然有人的用处"。我就问："人还有什么用？"

人可以擦灰尘吗？也许未来就会有一种东西连灰尘都不能沾染上去，比如一些纳米技术的产品。

"本来无一物，何处惹尘埃"原本是一句佛家的偈语。或许有一天，某些东西很可能真的染不上尘埃，甚至某些衣服既不会脏也不会臭，只需要抖一抖，或在阳光下晒一晒，它就会变成干净的。将来，擦灰尘的人仅仅是因为他喜欢擦灰尘，而不是灰尘需要他来擦。

这个话题引申开来就是，人到底还有什么用？人是用来离婚的吗？离了婚，你就可以多买一套房子。如果不结婚，你又怎么能够离婚呢？你不离婚的话，能不能买房子呢？你都不知道在这次离婚潮当中多少人一别两宽、各生欢喜，又有多少人暗自惆怅、不好不坏。

但是，人到底有什么用？当庄子在追求"无用"人生的时候，随着技术的变革，假如人真的没有用的话，该如何是好？

在商业范畴里有一个相关问题的答案——人在一切有效率的事情上注定都会输给机器。

前两天，我收到一本来自百度的书，内容是关于人工智能的。书里有两篇序言，一篇是李彦宏先生写的，另一篇是百度大脑写的。

　　为了尊重百度大脑，这篇序言没有被修改或者编撰，它居然也合乎韵律，且具有思想立意，比绝大部分三年级以下的小学生写得好，甚至比我认识的很多号称"高中毕业"的人写得好——起码没有错别字。老吴说过："现在，一个能够写满一千字而没有错别字的人，已经是高级知识分子了。"

　　在那本书里，你可以看到人工智能的未来。于是，人究竟有什么用？一切供给侧的效率改善的供给，无论是产品还是服务，都会有效率更高、成本更低的解决方案，甚至连有名望的老中医都会受到冲击——因为现在西医已经受到了冲击。

人最终的价值就是退步为消费者

在经济学领域里，人只有一种用，那就是成为消费者。消费者，其实是一种心态。比如，一个自诩可爱的人就是没有消费者心态的人。

很多父母都用"可爱"来形容自己的孩子。那么，什么叫"可爱"？实际上，就是可以被爱，是一种等待着把自己的种种美好待价而沽的状态。不一定是换取金钱，还可以换取赞许、认同或其他种种"积分"。总之，那就是一种消费品心态。

未来，当消费品全部被替代的时候，人的作用只能是成为消费者。消费者有别于现在的哲学和逻辑，是在

自己创造了一种价值之后，还知道自己要的是什么。

消费者最重要的特点就是知道自己要什么。假如你有一千元闲钱，要去银行购买理财产品，然而那里有五种万能险，大堂经理又巧舌如簧，总是想让你购买所有产品。

作为一个合格的消费者，最重要的品质就是自己有清晰的定见，知道自己要什么、什么是自己喜欢的。**虽然你未必会做出正确的选择，但起码你会做出让自己不难过的选择。**

消费者是心中对自己的欲望有洞见和觉察，并且知道自己愿意为此付出多少成本的人，其实这是一种心智模式。而有太多人把自己当作消费品，这是一件很可怕的事情。

我常常跟朋友们讨论，当今社会上有两种人。一种人自诩为城里人，他们最大的梦想就是找到好工作——"洋行大班"。以前，是在外资企业；现在，能够在一家上市公司做高级白领，不用担责任就再舒服不过了，他们的梦想就是这样。

另外一种人的终极理想就是成为"农民"。也就是说，他们能够控制自己的日常生活，比如开一个"农家乐"，租上一亩三分地，设计自己的生活空间。不管有钱没钱，反正他们都要按自己的想法去生活，这就叫"消费者心态"。

然而，这都是在相对层面上的划分。

人最终的价值就是退步为消费者。他们最大的区别无非是有能力、有意愿的消费者，还是没有能力、没有意愿的消费者，换句话说，是有品的消费者，还是没品的消费者。

将其放在更宏观的层面上来看，你觉得如果连做消费者都不会有太大的激情，人还有什么用？我想来想去，可能还有一个用——成为别人的陪伴者。找个机器人陪伴和找个人陪伴，终究是不一样的。尤其是温度、情绪、柔软度、精神契合度和跟你一起慢慢变老的感觉。

　　试想一下，你拿着一部 iPhone 手机，看着它跟你一起变老，这件事情多荒诞啊！当你换了一部手机后，"变老"的手机就消失了。

　　然而，人与人是不会这样的。**真正互相认同的人，你认同他，他也认同你，彼此之间最重要的价值就是相互的陪伴。在很长一段时间里，机器都做不到这件事。**

　　尽管现在人可以与机器互动，就像与 iPhone 手机中的 Siri 语音对话一样。假如你问了一个很好的问题，Siri 最标准的答案就是："嗯，这是一个好问题！"但是，它始终做不到像鲜活的人一样与你展开更丰富的对话。

　　因为人有万千业力的和合，有优点和缺点。你会发现人更真实，在对方身上能够看到自己的缺点，就会觉得更舒服。

　　也许将其放在更开阔的层面上来看，当人们都不太能够赚钱（赚的钱会被电子货币追踪到每一分钱都要去交税）的时候，你就会发现赚钱也没什么意思。

　　既然赚不到钱，自然也花不了多少钱，于是人们相互陪伴、互相不花钱，这就变成《人间世》里面所描写的状况。

　　所以，我们读《庄子》的时候，不仅仅是在读书，更重要的是读完之后去想一想：我所处的究竟是怎样的一个时代？

　　我的答案是：你活在一个大部分人即将变得"无用"的时代（这只是小梁的猜测，很可能不对）。不过，如果我说的有一定道理呢？

　　当你最终发现人的价值就是有人陪伴，或者别人觉得你在旁边不讨厌的时候，你就会发现庄子给我们指出了一条康庄大道——首先成为一个让自己感到自在的人。

　　一个自己都陪伴不了自己的人，却指望着能够陪伴别人、让别人舒服，这不是充满矛盾吗？这无异于用火去救火、用水去救水，想来很可笑吧。

　　从现在开始，学会自己陪伴自己。

　　一次，我躺在床上，突然恍惚地感觉到"这就是我的宿命"。每个人，**最终都是自己和自己睡觉，自己和自己吃饭，这就是我们的未来。**

　　不过，这不见得是坏事儿，想必学会这项技能应该不会是差的投资吧。

现在，到底什么是我们共同相信的东西
——价值观

本来，《人间世》我觉得已经差不多学完了，但一个太安私塾的同学突然问了我一个问题："请问，到底什么叫'人间世'？"我回答："Good question——你问了一个好问题。"

基本上，按照小梁的理解，《人间世》讨论的是作为社会人，该如何在人与人相互连接的过程中得以养生（保养自己的生命，可以全德、可以养亲等）的问题。

南老对《人间世》的总结是："《人间世》这一篇告诉我们什么呢？三个字，守本分。人要守本分，在什么立场就做什么事，处什么态度……大家喝醉了，你也要装醉；大家清醒了，你也要醒过来。如果大家清醒了都在那里做工，你仍躺在那里睡觉，那成什么话呢？那不是疯，那已经蠢到极点了。"

对此，庄子开出的药方是，**让自己首先成为自然人，再用自然人的心法和状态成为社会人。**

《人类简史》这本书的核心观点就是，所谓人类社会就是一群动物开始相信共同的价值体系。比如，一个最反对美国的人，他可能不会反对美元。这说明，仍然有一种信念在支撑着他，他相信这张绿色的纸可以换来一顿晚餐或一部手机。

但是，人类的共同趣味、价值观和意识，真的能够被我们超越吗？可能很难。

比如，你在喝"铁观音"的时候，你的孩子有没有问过"观音是谁"？为什么叫"铁观音"？如果再多研究一下，你就会发现"世界""宇宙""刹那""如来""方法"这些词汇，居然都来自佛学体系。

　　于是，你就不得不接受一个事实，**原来我们一直都生活在或有或无的共同价值体系里面，因为我们在用同样的语言。**

　　总之，人很难超越共同价值观。那么，一个新问题就随之而来。对于大部分人来说，现在到底什么是我们共同相信的东西？这件事情特别重要。

你是钱的一部分，抑或钱是你的一部分

在很长一段时间里面，许多人只相信钱。大部分人包括我在内，都对钱所代表的信用、价值以及作用有毋庸置疑的看法。

佛家修行讲"止观"，"止"是把注意力放在一个点上，"观"是觉察。**如果用"止观"的方式来重新展开生命体验的话，你会发现我们对于钱背后所代表的信用体系这一信念的执着，是如此根深蒂固，以至于我们都想拥有钱或者成为钱的一部分。**

有时候，你很难分清你是钱的一部分，抑或钱是你的一部分？或许你会问，什么叫"你是钱的一部分"？

就是你可以用来换钱，你只不过是货币的某种表达形式而已。但是，如果我们仔细地分析这个观点，其实它是非常脆弱的。

比如，一个印度人坐在山洞里面禅修。爷爷给他留下了几十万卢比，他以为自己这辈子都可以待在山洞里面。有一天，当他从山洞里出来的时候，发现爷爷给他的现金都没有用了，因为国家已经开始使用新钞——他依然会坚持自己拥有的是真钞。

其实，真钞也没有多大用处。如果你生活在一个连真钞都可能瞬间被"变成"假钞的国度，真钞也就没有意义了。那么，你还会相信什么？

一天，我们几个朋友在讨论一个问题，是不是自己所相信的就构成了"人间世"或者"社会共同体系"。如果问你："你相信钱吗？你相信爱情吗？"你会怎么回答？扪心自问，越来越多的人会用标准答案：有时候会相信。显然，这也就意味着有时候不相信。

如果你有时候相信一个东西而有时候不相信，那就是不相信。

你有时候相信钱有用，有时候相信钱没有用，从本质上来说，那就说明你不是真的相信钱有用。如果爱情也出现某种幻相的话，你还相信什么？

很多人都相信"死"，确实人都会"死"。"生命"的确是一个幻相，或者说它的确给我们带来了很多困扰和欢乐。

我参加凤凰卫视二十周年庆典的时候，看到条幅上写着"七千三百个日日夜夜，凤凰卫视连接全球华人"，突然我的眼泪都飙出来了。

二十年，也才七千三百天而已。从一个人大附中旁边普普通通的楼里小半层的房间"长"出来一个电视台，仅仅用了二十年，也就是才七千三百天而已。

当一个人连钱都不相信的时候，他还相信什么

很多人都说自己什么都不相信。当一个人连钱都不相信的时候，他只会相信一件事——"人会死"。

假如在你快死的时候，突然有人告诉你其实人是不会死的，他可以把你的意识上传到云端，把你的生命、记忆、社会关系等全部平移到某个地方，然后在合适的时候将它下载到一个电饭锅里面，瞬间你就投胎成为一个电饭锅。

既然现在是物联网时代，电饭锅自然也可以跟网络连接，一旦人的意识可以上传到亚马逊云、阿里云、百

度云或者金山云，那么将它下载到电饭锅，又有什么不可能？这真是一个疯狂的想法吧。

读一读《未来简史》，了解一下人工智能的发展趋势，只要活得足够长，你总会等到那一天。

《未来简史》中还提到，在对于"人会死亡"这样一个非常强烈的人类共同价值观里面，居然有一些人提出来"我不要死"。然后，这些人就为了不死而去寻找某种方式。

事实上，如果把一个人的意识、价值观、社会关系、恶趣味以及善行所累积下来的品格积分，像支付宝里芝麻信用对应的积分体系一样——可以用自己的人品和过去的消费记录，去骑共享单车，却不需要预存款，这个积分体系也一直被整个打包上传到云端，那么这和永生有什么区别？

如果连这个价值观都不值得讨论和怀疑的话，你还会相信什么？

世界唯一能够确定的东西就是"不确定"

我想，如果你真正地意识到有一样东西是无论任何时候都会变成你的终极见地的时候，你可能就解脱了。我听说（我没有达到这个状况）有一样见地是终极的——对于"不确定"的确定。

前文中，我提到过那次见宗萨蒋扬钦哲仁波切的时候，他讲到了"了义"和"不了义"的话题。

当时，宗萨蒋扬钦哲仁波切语塞了，说自己也说不出来，只能够用一种很难表达的状态来描述这个确定的东西。也许当你真正能够体悟到这种状态的时候，你就获得了解脱。

　　我个人理解，在"了义"层面——绝对的层面，唯一能够确定的东西大概就是"不确定"这三个字。因为一切都是不确定的，都是临时幻化的，也是既"是"又"不是"的，"人间世"同时也是"人间世"的反转——我只是从文字上模模糊糊地感受到宗萨蒋扬钦哲仁波切很努力地想要传达的概念。

　　你究竟相信什么东西呢？你相信的也许你就会坚定。但是，当我们一次又一次相信、一次又一次超越相信的时候，或许某天我们会了解唯一相信而确定的东西，就是不确定的，就是既"是"也"不是"的，说不出来的那种状态。

　　在睡梦中，如果我们不做梦，而是陷入真正的黑暗，那么，我们在哪里呢？也许我们所在的地方和所在的状态，就是我们最终会确定的地方和状态。

　　我知道，讲到此处已经很令人费解了。我只能说自己突然开始特别理解宗萨蒋扬钦哲仁波切站在台上很努力而又语塞的那种状态，大概就是这样吧。

　　让我们一起慢慢体会自己既没有做梦也没有清醒、完全昏沉的状态里的"我"，这就是《逍遥游》在开篇讲"北冥有鱼"的那种幽暗的、游动的、若有若无的状态。

　　如果一定要问小梁还相信什么的话，最近有一句话的确对我甚是有感应："我相信，一切都会过去，一切都会留下来。"

　　我相信，一切有用的终将无用，一切无用的终将有用。

《庄子·内篇·人间世》

颜回见仲尼，请行。

曰："奚之？"

曰："将之卫。"

曰："奚为焉？"

曰："回闻卫君，其年壮，其行独。轻用其国，而不见其过。轻用民死，死者以国量乎泽若蕉，民其无如矣！回尝闻之夫子曰：'治国去之，乱国就之，医门多疾。'愿以所闻思其则，庶几其国有瘳（chōu）乎！"

仲尼曰："譆，若殆往而刑耳！夫道不欲杂，杂则多，多则扰，扰则忧，忧而不救。古之至人，先存诸己，而后存诸人。所存于己者未定，何暇至于暴人之所行？且若亦知夫德之所荡，而知之所为出乎哉？德荡乎名，知出乎争。名也者，相轧也；知也者，争之器也。二者凶器，非所以尽行也。

"且德厚信矼（kòng）未达人气；名闻不争，未达人心。而强以仁义绳墨之言，术暴人之前者，是以人恶有其美也，命之曰菑（zāi）人。菑人者，人必反菑之，若殆为人菑夫！

"且苟为悦贤而恶不肖，恶用而求有以异？若唯无诏，王公必将乘人而斗其捷。而目将荧之，而色将平之，口将营之，容将形之，心且成之。是以火救火，以水救水，名之曰益多。顺始无穷。若殆以不信厚言，必死于暴人之前矣！

"且昔者桀杀关龙逢，纣杀王子比干，是皆修其身以下伛（yǔ）拊人之民，以下拂其上者也，故其君因其修以挤之。是好名者也。

"昔者尧攻丛、枝、胥敖，禹攻有扈。国为虚厉，身为刑戮。其用兵不止，其求实无已，是皆求名实者也，而独不闻之乎？名实者，圣人之所不能胜也，而况若乎！虽然，若必有以也，尝以语我来。"

颜回曰："端而虚，勉而一，则可乎？"

曰："恶！恶可！夫以阳为充孔扬，采色不定，常人

之所不违，因案人之所感，以求容与其心。名之曰日渐之
德不成，而况大德乎！将执而不化，外合而内不訾（zī），
其庸讵可乎！"

"然则我内直而外曲，成而上比。内直者，与天为
徒。与天为徒者，知天子之与己，皆天之所子，而独以己
言蕲乎而人善之，蕲乎而人不善之邪？若然者，人谓之童
子，是之谓与天为徒。外曲者，与人之为徒也。擎跽（jì）
曲拳，人臣之礼也。人皆为之，吾敢不为邪？为人之所为
者，人亦无疵焉，是之谓与人为徒。成而上比者，与古为
徒。其言虽教，谪（zhé）之实也，古之有也，非吾有也。
若然者，虽直而不病，是之谓与古为徒。若是则可乎？"

仲尼曰："恶！恶可！大多政法而不谍。虽固，亦无
罪。虽然，止是耳矣，夫胡可以及化！犹师心者也。"

颜回曰："吾无以进矣，敢问其方。"

仲尼曰："斋，吾将语若。有心而为之，其易邪？易
之者，皞（hào）天不宜。"

颜回曰："回之家贫，唯不饮酒不茹荤者数月矣。如
此，则可以为斋乎？"

曰："是祭祀之斋，非心斋也。"

回曰："敢问心斋。"

仲尼曰："若一志，无听之以耳，而听之以心；无听

之以心，而听之以气。听止于耳，心止于符。气也者，虚而待物者也。唯道集虚。虚者，心斋也。"

颜回曰："回之未始得使，实自回也；得使之也，未始有回也，可谓虚乎？"

夫子曰："尽矣！吾语若：若能入游其樊，而无感其名，入则鸣，不入则止。无门无毒，一宅而寓于不得已，则几矣。绝迹易，无行地难。为人使易以伪，为天使难以伪。闻以有翼飞者矣，未闻以无翼飞者也；闻以有知知者矣，未闻以无知知者也。瞻彼阕者，虚室生白，吉祥止止。夫且不止，是之谓坐驰。夫徇耳目内通，而外于心知，鬼神将来舍，而况人乎！是万物之化也，禹、舜之所纽也，伏戏、几蘧（qú）之所行终，而况散焉者乎！"

叶公子高将使于齐，问于仲尼曰："王使诸梁也甚重，齐之待使者，盖将甚敬而不急。匹夫犹未可动，而况诸侯乎！吾甚慄之。子常语诸梁也曰：'凡事若小若大，寡不道以欢成。事若不成，则必有人道之患；事若成，则必有阴阳之患。若成若不成而后无患者，唯有德者能之。'吾食也执粗而不臧，爨（cuàn）无欲清之人。今吾朝受命而夕饮冰，我其内热与！吾未至乎事之情而既有阴阳之患矣！事若不成，必有人道之患。是两也，为人臣者不足以任之，子其有以语我来！"

　　仲尼曰："天下有大戒二：其一命也，其一义也。子之爱亲，命也，不可解于心；臣之事君，义也，无适而非君也，无所逃于天地之间。是之谓大戒。是以夫事其亲者，不择地而安之，孝之至也；夫事其君者，不择事而安之，忠之盛也；自事其心者，哀乐不易施乎前，知其不可奈何而安之若命，德之至也。为人臣子者，固有所不得已。行事之情而忘其身，何暇至于悦生而恶死！夫子其行可矣！

　　"丘请复以所闻：凡交，近则必相靡以信，远则必忠之以言。言必或传之。夫传两喜两怒之言，天下之难者也。夫两喜必多溢美之言，两怒必多溢恶之言。凡溢之类妄，妄则其信之也莫，莫则传言者殃。故法言曰：'传其常情，无传其溢言，则几乎全。'

　　"且以巧斗力者，始乎阳，常卒乎阴，泰至则多奇巧；以礼饮酒者，始乎治，常卒乎乱，泰至则多奇乐。凡事亦然，始乎谅，常卒乎鄙；其作始也简，其将毕也必巨。夫言者，风波也；行者，实丧也。风波易以动，实丧易以危。故忿设无由，巧言偏辞。兽死不择音，气息茀（bó）然，于是并生心厉。克核大至，则必有不肖之心应之，而不知其然也。苟为不知其然也，孰知其所终！故法言曰：

'无迁令，无劝成。过度，益也。'迁令劝成殆事。美成在久，恶成不及改，可不慎与！且夫乘物以游心，托不得已以养中，至矣。何作为报也？莫若为致命，此其难者。"

颜阖将傅卫灵公太子，而问于蘧（qú）伯玉曰："有人于此，其德天杀。与之为无方，则危吾国；与之为有方，则危吾身。其知适足以知人之过，而不知其所以过。若然者，吾奈之何？"

蘧伯玉曰："善哉问乎！戒之，慎之，正女身也哉！形莫若就，心莫若和。虽然，之二者有患。就不欲入，和不欲出。形就而入，且为颠为灭，为崩为蹶；心和而出，且为声为名，为妖为孽。彼且为婴儿，亦与之为婴儿；彼且为无町畦（tǐng qí），亦与之为无町畦；彼且为无崖，亦与之为无崖；达之，入于无疵。

"汝不知夫螳螂乎？怒其臂以当车辙，不知其不胜任也，是其才之美者也。戒之，慎之，积伐而美者以犯之，几矣！

"汝不知夫养虎者乎？不敢以生物与之，为其杀之之怒也；不敢以全物与之，为其决之之怒也。时其饥饱，达其怒心。虎之与人异类，而媚养己者，顺也；故其杀者，逆也。

"夫爱马者，以筐盛矢，以蜄（shèn）盛溺。适有蚊虻仆缘，而拊之不时，则缺衔、毁首、碎胸。意有所至，而爱有所亡。可不慎邪！"

匠石之齐，至于曲辕，见栎（lì）社树。其大蔽数千牛，絜（xié）之百围，其高临山十仞而后有枝，其可以为舟者旁十数。观者如市，匠伯不顾，遂行不辍。

弟子厌观之，走及匠石，曰："自吾执斧斤以随夫子，未尝见材如此其美也。先生不肯视，行不辍，何邪？"

曰："已矣，勿言之矣！散木也。以为舟则沈，以为棺椁则速腐，以为器则速毁，以为门户则液樠（mán），以为柱则蠹，是不材之木也。无所可用，故能若是之寿。"

匠石归，栎社见梦曰："女将恶乎比予哉？若将比予于文木邪？夫柤（zhā）梨橘柚果蓏（luǒ）之属，实熟则剥，剥则辱。大枝折，小枝泄（yì）。此以其能若其生者也。故不终其天年而中道夭，自掊击于世俗者也。物莫不若是。且予求无所可用久矣！几死，乃今得之，为予大用。使予也而有用，且得有此大也邪？且也，若与予也皆物也，奈何哉其相物也？而几死之散人，又恶知散木！"

匠石觉而诊其梦。弟子曰："趣取无用，则为社何邪？"

曰："密！若无言！彼亦直寄焉，以为不知己者诟厉也。不为社者，且几有翦乎！且也彼其所保与众异，而以义喻之，不亦远乎？"

南伯子綦游乎商之丘，见大木焉，有异，结驷千乘，将隐芘其所藾（lài）。子綦曰："此何木也哉！此必有异材夫！"仰而视其细枝，则拳曲而不可以为栋梁；俯而视其大根，则轴解而不可以为棺椁；咶（shì）其叶，则口烂而为伤；嗅之，则使人狂酲（chéng）三日而不已。子綦曰："此果不材之木也，以至于此其大也。嗟乎，神人以此不材。"

宋有荆氏者，宜楸（qiū）柏桑。其拱把而上者，求狙猴之杙（yì）者斩之；三围四围，求高名之丽者斩之；七围八围，贵人富商之家求禅（shàn）傍者斩之。故未终其天年而中道之夭于斧斤，此材之患也。故解之以牛之白颡（sǎng）者，与豚之亢鼻者，与人有痔病者，不可以适河。此皆巫祝以知之矣，所以为不祥也。此乃神人之所以为大祥也。

支离疏者，颐隐于脐，肩高于顶，会撮指天，五管在上，两髀（bì）为胁。挫针治繲（jiè），足以糊口；鼓笑（cè）播精，足以食十人。上征武士，则支离攘臂而游于其间；上有大役，则支离以有常疾不受功；上与病者粟，则受三钟与十束薪。夫支离其形者，犹足以养其身，终其天年，又况支离其德者乎！

孔子适楚，楚狂接舆游其门曰："凤兮凤兮，何如德之衰也？来世不可待，往世不可追也。天下有道，圣人成焉；天下无道，圣人生焉。方今之时，仅免刑焉！福轻乎羽，莫之知载；祸重乎地，莫之知避。已乎，已乎！临人以德。殆乎，殆乎！画地而趋。迷阳迷阳，无伤吾行。郤（xì）曲郤曲，无伤吾足。"

山木，自寇也；膏火，自煎也。桂可食，故伐之；漆可用，故割之。人皆知有用之用，而莫知无用之用也。

梁冬

正安康健创始人、正安自在睡觉创始人、冬吴文化创始人。

与生命本质的多维度跨界相关的《生命》系列纪录片出品人及主持人。电台节目《冬吴相对论》《冬吴同学会》主讲人，深受广大听众的喜爱，节目被苹果 App iTunes 评为"年度最受欢迎社会经济类谈话节目"。喜马拉雅 FM 电台精品节目《庄子的心灵自由之路》主讲人。电视节目《国学堂》主讲人，《新周刊》"2012 年度生活家"。

曾任百度副总裁，凤凰卫视主持人及主编。

出版图书：《处处见生机》、《唐太宗的枕边书——梁言群书治要》、《黄帝内经说什么》系列（与徐文兵先生合著）、冬吴相对论·心时代文集之《欢喜》《无畏》（与吴伯凡先生合著）……

感谢喜马拉雅建军、小雨、兴仁团队对本书的大力支持

感谢夏、志、思同学对本书的倾情付出

图书在版编目（CIP）数据

梁冬说庄子　人间世／梁冬著 . —— 南昌：江西科学技术出版社，2017.7（2018.2 重印）

ISBN 978-7-5390-6030-9

Ⅰ．①梁… Ⅱ．①梁… Ⅲ．①道家②《庄子》－研究 Ⅳ．① B223.55

中国版本图书馆 CIP 数据核字 (2017) 第 183072 号

国际互联网（Internet）地址：http://www.jxkjcbs.com

选题序号：ZK2017104　　　图书代码：D17047-103

监　　制／黄利　万夏
项目策划／设计制作／紫图图书 ZITO®
责任编辑／刘丽婷　李玲玲
特约编辑／马松　车璐

梁冬说庄子　人间世　　　　　　　　　　　　　　梁冬／著

出版发行 江西科学技术出版社

社　　址 南昌市蓼洲街 2 号附 1 号　邮编 330009
　　　　　　电话：(0791) 86623491　86639342（传真）

印　　刷 北京中科印刷有限公司

经　　销 各地新华书店

开　　本 880 毫米 ×1230 毫米　1/32

印　　张 7.25

字　　数 100 千

版　　次 2017 年 9 月第 1 版　2018 年 2 月第 3 次印刷

书　　号 ISBN 978-7-5390-6030-9

定　　价 49.90 元

赣版权登字 －03-2017-259　　版权所有　侵权必究
（赣科版图书凡属印装错误，可向承印厂调换）